Mathematics

교과서 노트

중학 수학 **1** (상)

구성과 특징

교과서 노트는 어떤 교과서에나 공통적으로 나오는 문제들로 구성하였습니다. 각 단원마다 알아야 할 기본 개념과 출제 가능성이 매우 높은 문제들을 엄선하였기 때문에 중간·기말고사를 대비하는 데 좋은 교재입니다.

우리가 수학문제를 풀 때 가장 많이 느끼는 어려움은 분명히 풀어봤던 유형인 것 같은데 풀이 과정 중에 하나 또는 두 개 정도의 풀이과정이 추가되게 되면 풀 수가 없다는 것일 것입니다. 노트 형식으로 구성한 이 "교과서 노트"는 기본 필수 예제를 풀이 과정을 하나하나 쫓아가며 풀 수 있기 때문에 수학 문제 풀이에 대한 두려움이라든가, 오답노트를 따로 만들어가며 풀어야 하는 귀찮음을 해소할 수 있습니다.

1

2

기본체크와 핵심정리

교과서 개념을 주제별로 구성하여 자세하고 깔끔한 개념만을 모아모아 문제 풀이에 적용하기 쉽게 정리하였습니다. 교과서 노트의 핵심정리는 정말 중요한 것만 콕콕 찍어서 단계적으로 정리하여 보기도 쉽고, 이해하기도 좋게 구성하였습니다.

3

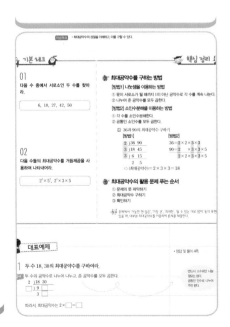

학습목표

소단원의 성격을 잘 드러내도록 구성하였습니다.
학습목표는 우리가 시험에서 만날 문제들의 성격을 대표적으로 설명하는 부분입니다. 학습목표를 잘 읽어보면 그 단원에서 가장 기본이 되고 제일 중요한 것이 무엇인지 알 수 있게 됩니다.

대표 예제

단순히 개념만 안다고 모든 문제를 해결할 수는 없습니다. 핵심은 바로 개념을 이용한 문제해결력을 키워야 합니다. 그래서 중학 교과서 속 핵심 예제를 개념을 익히기 위한 필수 문제로 구성하였습니다. 시험과 동떨어진 매우 기초가 되는 쉬운 문제가 아니고, 시험에 나올 법한 유형의 문제 중 기본이 되는 문제로 구성했으며 빈칸 채우기 식의 문제 풀이를 통해 풀이 과정을 한 눈에 볼 수도 있어서 "내가 어디서 실수를 했는지" 쉽게 찾을 수 있습니다. 또한, 문제 풀이에 꼭 필요한 개념들을 친절하게 첨삭 설명하였습니다.

④ 어떤 교과서에나 나오는 문제

코너 이름 그대로, "어느 교과서에나 등장하는" 유형의 문제들로 구성하였습니다. 교과서 기본문제와 연습문제를 분석하여 만든 이 문제들로 기초 실력을 탄탄히 다지고 연습할 수 있으며, 시험에 꼭 나오는 유형이니만큼 시험 대비하기에 좋습니다. 노트 형식의 디자인은 문제 옆에 바로 풀이를 할 수 있어서 풀이 가운데 틀린 부분을 체크하기 쉽게 하며, 오답노트로 활용할 수도 있습니다.

---

01 소인수분해 | **어떤 교과서에나 나오는 문제**

01 다음 중 거듭제곱의 표현이 옳지 않은 것은?
① $3 \times 3 \times 3 = 3^3$
② $3 \times 3 \times 5 = 3^2 \times 5$
③ $2 \times 2 \times 2 \times 2 = 2 \times 4$
④ $3 \times 3 \times 7 \times 7 = 3^2 \times 7^2$
⑤ $x \times x \times x \times x = x^4$

02 $2^a = 16$, $3^4 = b$를 만족하는 자연수 a, b에 대하여 $a + b$의 값을 구하여라.

03 다음 설명 중 옳지 않은 것은?
① 1은 소수가 아니다.
② 소수는 모두 홀수이다.
③ 가장 작은 소수는 2이다.
④ 소수는 1보다 큰 자연수 중에서 1과 그 수 자신만을 약수로 가지는 수이다.
⑤ 모든 합성수는 소수들의 곱으로 나타낼 수 있다.

---

⑤ 시험에 꼭 나오는 문제

03 최소공배수 | **시험에 꼭 나오는 문제**

01 두 수 $2^3 \times 3 \times 5^3$, $2 \times 3^2 \times 7$의 최소공배수를 거듭제곱을 사용하여 나타내어라.

02 어떤 두 수의 최소공배수가 12일 때, 이 두 수의 공배수가 아닌 것은?
① 96 ② 106 ③ 132
④ 144 ⑤ 180

03 두 수 6, 8의 공배수 중 100 미만인 수의 개수를 구하여라.

시험에 꼭 나오는 문제

교과서의 중단원평가와 대단원평가를 분석하여 공통적으로 등장하는 유형의 문제를 변형하여 실어놓았습니다. 시험에 꼭 나오고, 반드시 알아두어야 할 문제들로 엄선했기 때문에 이 교재로 모의시험을 치면, 시험에 임하게 되었을 때 나의 취약한 부분을 미리 알 수 있게 됩니다. 이 코너 역시 노트 디자인으로, 문제풀이 복습 과정이 편리합니다.

---

⑥ 단원종합문제

대단원이 하나씩 끝날 때마다 제공되는 단원종합문제는 실제 시험을 보는 것 같이 풀 수 있도록 구성하였습니다. 출제 가능성이 매우 높은 문제들로 구성하여 중간고사나 기말고사 대비용으로 활용하기 좋으며, 어느 정도 난이도가 높은 문제들과 서술형 문제도 다루어 보면서 완벽하게 실전에 대비합니다.

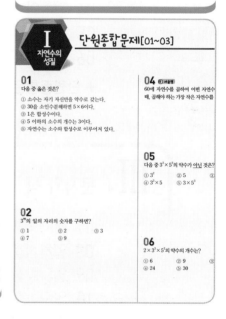

Ⅰ 자연수의 성질 | **단원종합문제[01~03]**

01 다음 중 옳은 것은?
① 소수는 자기 자신만을 약수로 갖는다.
② 30을 소인수분해하면 5×6이다.
③ 1은 합성수이다.
④ 5 이하의 소수의 개수는 3이다.
⑤ 자연수는 소수와 합성수로 이루어져 있다.

02 3^{10}의 일의 자리의 숫자를 구하면?
① 1 ② 2 ③ 3
④ 7 ⑤ 9

04 [서술형]
60에 자연수를 곱하여 어떤 자연수의 제곱이 되게 하려고 할 때, 곱해야 하는 가장 작은 자연수를

05 다음 중 $3^3 \times 5^2$의 약수가 아닌 것은?
① 3^2 ② 5 ③
④ $3^3 \times 5$ ⑤ 3×5^3

06 $2 \times 3^3 \times 5^2$의 약수의 개수는?
① 6 ② 9 ③
④ 24 ⑤ 30

---

⑦ 책속의 책 : 정답 및 풀이

- 친절하고 깔끔한 풀이가 내가 틀린 문제에 대한 문제 풀이의 이해를 돕습니다.
- 맞은 문제도 풀이 책을 보면서 문제풀이 과정이 옳았는지 확인해 볼 수 있습니다.
- 다른 풀이를 통해 여러 가지 풀이 방법을 제시하였습니다.

IV. 좌표평면과 그래프

이 책의 활용법

1 학습목표를 여러 번 읽어 보며 개념이 어떻게 문제로 표현될지 생각해 본다.

2 핵심 정리를 보며 내가 올바르게 소단원의 개념을 이해하고 있는지 확인한다.

3 체크 문제를 풀어보고 각 소단원에 해당하는 기본 개념이 제대로 잡혀 있는지 확인한다.

4 대표 예제를 통해 기본 문제를 이해한다.

5 〈어떤 교과서에나 나오는 문제〉 코너와 〈시험에 꼭 나오는 문제〉 코너의 문제를 풀이한 뒤, 풀이 과정까지 옳게 되었는지 확인한다. ▶ 틀린 유형의 문제는 여러 번 풀어본다.

6 단원종합문제 풀이를 실제 시험처럼 시간을 정해 두고 푼다. ▶ 출제 가능성 높은 문제들로 구성하였기 때문에 틀린 문제는 반드시 다시 풀어서 실제 시험에서는 틀리지 않도록 오답노트를 만든다.

오답노트-활용 tip

중요도 ☐ 손도 못댐 ☐ 과정 실수 ☐ 틀린 이유 :

중요도 ★ 중요도는 문제를 풀 때 선생님이 중요하다고 했던 문제이거나, 본인이 생각하기에 중요한 문제에 별표를 그려서 시험 보기 전, 파이널 정리 할 때 한 눈에 확인하기 좋습니다.

손도 못댐 ☑ 손도 못댐은 문제를 풀 때, 어떠한 과정이나 식이 필요한지 감도 잡히지 않아 막막했던 문제를 체크하여 모르는 문제를 다시 확인할 수 있게 합니다.

과정 실수 ☑ 문제를 풀 때 풀이 과정에서 실수했다면 체크를 하고, 옆의 틀린 이유란에 실수한 이유나, 몰랐던 부분에 대해 써 넣어 다음에 볼 때 같은 부분을 틀리는지 아닌지 확인합니다.
   예 과정 실수 ☑ 틀린 이유 : $a = -3$인데, $a = 3$으로 놓고 풀었음

01 소인수분해

학습목표 · 소인수분해의 뜻을 알고, 자연수를 소인수분해할 수 있다.

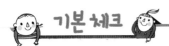

01

다음 수를 거듭제곱을 써서 나타내어라.

(1) $3 \times 3 \times 3$
(2) $5 \times 5 \times 7 \times 7 \times 7$
(3) $2 \times 2 \times 2 \times 2 \times 2 \times 13$
(4) $2 \times 3 \times 3 \times 3 \times 11 \times 11$

02

다음 수를 소수와 합성수로 구분하여라.

> 4, 5, 19, 27, 31

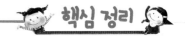

🎯 소인수분해하기

↳자연수를 소수들의 곱만으로 나타내는 것

① 작은 소인수부터 차례로 나누다가 몫이 소수가 되면 그만 나눈다.

↳어떤 수의 인수 중에서 소수인 수

② 나눈 소수들과 마지막 몫을 곱으로 연결한다.
이때, 같은 소인수의 곱은 거듭제곱을 사용하여 나타낸다.

↳같은 수나 문자를 여러 번
곱한 것을 간단히 나타낸 것

예 18의 소인수분해

$$
\begin{array}{r}
2\ )\underline{18} \\
3\ )\underline{9} \\
3
\end{array}
$$

↳몫이 소수가 될 때까지

$$18 = 2 \times 3 \times 3 = \underset{\uparrow\uparrow}{2 \times 3^2}$$

18의 소인수

참고 어떤 자연수를 소인수분해한 결과는 곱하는 순서를 생각하지 않으면 오직 한 가지로 결정된다.

※ 소수: 1보다 큰 자연수 중에서 1과 자기 자신만을 약수로 가지는 수
※ 인수: 세 자연수 a, b, c에 대하여 $a = b \times c$일 때, b와 c를 a의 인수라고 한다.

🎈 대표예제

· 정답 및 풀이 2쪽

01 20을 소인수분해하여라.

풀이 ① 작은 소인수부터 차례로 나누다가 몫이 소수가 되면 그만 나눈다.

$$
\begin{array}{r}
\boxed{}\ )\underline{20} \\
\boxed{}\ )\underline{10} \\
5
\end{array}
$$

② 나눈 소수들과 마지막 몫을 곱으로 연결한다. 이때, 같은 소인수의 곱은 거듭제곱을 사용하여 나타낸다.

$20 = \boxed{} \times 5$

소인수분해한 결과는
작은 소인수부터
차례로 쓴다.

02 24의 소인수를 모두 구하여라.

풀이 24를 소인수분해하면 $24 = 2^3 \times \boxed{}$ 이므로

소인수는 2, $\boxed{}$ 이다.

$$
\begin{array}{r}
2 \,)\underline{24} \\
\boxed{} \,)\underline{12} \\
2 \,)\underline{6} \\
\boxed{}
\end{array}
$$

> 2^3은 소인수가 아님에 주의 한다.

03 50에 가장 작은 자연수를 곱하여 어떤 자연수의 제곱이 되게 하려고 할 때, 곱해야 하는 가장 작은 자연수를 구하여라.

풀이 50을 소인수분해하면 $50 = \boxed{}$ 이다.

소인수 $\boxed{}$ 의 지수가 1로 홀수이므로 지수를 짝수로 만들기 위해

$\boxed{}$ 를 한 번 더 곱해주면 $\boxed{}$ 이고 $\boxed{}$ 의 제곱이 된다.

따라서, 곱해야 하는 가장 작은 자연수는 $\boxed{}$ 이다.

> ※ 제곱수 만들기
> ① 소인수분해한다.
> ② 소인수의 모든 지수를 짝수로 만든다.

04 48의 약수를 모두 구하여라.

풀이 48을 소인수분해하면 $48 = 2^4 \times \boxed{}$ 이므로 2^4의 약수와 $\boxed{}$ 의 약수를 각각 곱해서 48의 약수를 구한다.

$\times$	1	$\boxed{}$
1	$1 \times 1 = 1$	$\boxed{}$
2	$2 \times 1 = 2$	$\boxed{}$
2^2	$2^2 \times 1 = 4$	$\boxed{}$
2^3	$2^3 \times 1 = 8$	$\boxed{}$
2^4	$2^4 \times 1 = 16$	$\boxed{}$

따라서, 48의 약수는 1, 2, 4, 8, 16, $\boxed{}$ 이다.

> 48을 소인수분해하여 약수를 구한다.

05 소인수분해를 이용하여 40의 약수의 개수를 구하여라.

풀이 40을 소인수분해하면 $40 = 2^3 \times \boxed{}$ 이므로

40의 약수의 개수는

$(3+1) \times (\boxed{}+1) = \boxed{}$ (개)이다.

> ※ 약수의 개수
> 자연수 A가 $A = a^m \times b^n$으로 소인수분해될 때,
> A의 약수의 개수
> $\Rightarrow (m+1) \times (n+1)$개

배수의 특징

① 2의 배수 : 일의 자리의 숫자가 2의 배수
② 3의 배수 : 각 자리의 숫자의 합이 3의 배수
③ 4의 배수 : 끝 두 자리의 수가 4의 배수
④ 5의 배수 : 일의 자리의 숫자가 0 또는 5

어떤 교과서에나 나오는 문제

01 다음 중 거듭제곱의 표현이 옳지 <u>않은</u> 것은?

① $3 \times 3 \times 3 = 3^3$
② $3 \times 3 \times 5 = 3^2 \times 5$
③ $2 \times 2 \times 2 \times 2 = 2 \times 4$
④ $3 \times 3 \times 7 \times 7 = 3^2 \times 7^2$
⑤ $x \times x \times x \times x = x^4$

중요도 ☐ 손도 못댐 ☐ 과정 실수 ☐ 틀린 이유:

02 $2^a = 16$, $3^4 = b$를 만족하는 자연수 a, b에 대하여 $a + b$의 값을 구하여라.

중요도 ☐ 손도 못댐 ☐ 과정 실수 ☐ 틀린 이유:

03 다음 설명 중 옳지 <u>않은</u> 것은?

① 1은 소수가 아니다.
② 소수는 모두 홀수이다.
③ 가장 작은 소수는 2이다.
④ 소수는 1보다 큰 자연수 중에서 1과 그 수 자신 만을 약수로 가지는 수이다.
⑤ 모든 합성수는 소수들의 곱으로 나타낼 수 있다.

중요도 ☐ 손도 못댐 ☐ 과정 실수 ☐ 틀린 이유:

04 다음 중 합성수는?

① 2   ② 5   ③ 8
④ 13   ⑤ 17

중요도 ☐ 손도 못댐 ☐ 과정 실수 ☐ 틀린 이유:

05 116의 소인수를 모두 구한 것은?

① 2   ② 4   ③ 29
④ 2, 29   ⑤ 4, 29

06 52에 자연수를 곱하여 어떤 자연수의 제곱이 되도록 할 때, 곱할 수 있는 가장 작은 자연수는?

① 2　　　　② 4　　　　③ 8
④ 11　　　　⑤ 13

07 소인수분해를 이용하여 36의 약수를 모두 구하여라.

08 $2^3 \times 5^2$의 약수의 개수를 구하여라.

09 소인수분해를 이용하여 60의 약수의 개수를 구하면?

① 2　　　　② 4　　　　③ 6
④ 8　　　　⑤ 12

10 $5^2 \times \square$의 약수의 개수가 12개인 자연수라고 할 때, 가장 작은 자연수가 되도록 $\square$를 구하면?

(단, 소인수는 2개이다.)

① 2　　　　② 4　　　　③ 6
④ 8　　　　⑤ 12

시험에 꼭 나오는 문제

중요도 ☐ 손도 못댐 ☐ 과정 실수 ☐ 틀린 이유:

01 다음 중 옳은 것은?

① $5+5=5^2$

② $a \times a \times b \times b \times b = 2a+3b$

③ $2 \times 2 \times 2 = 3^2$

④ $2 \times 2 \times 7 \times 7 \times 7 = 2^2 \times 7^3$

⑤ $3 \times 3 \times 3 \times 3 \times 3 = 3 \times 5$

중요도 ☐ 손도 못댐 ☐ 과정 실수 ☐ 틀린 이유:

02 신문지를 반으로 접고 그것을 다시 반으로 접기를 10번 반복했다면 신문지는 몇 겹이 되는가?

① 64겹   ② 128겹   ③ 256겹

④ 512겹   ⑤ 1024겹

중요도 ☐ 손도 못댐 ☐ 과정 실수 ☐ 틀린 이유:

03 다음 중 옳은 것은?

① 모든 소수는 홀수이다.

② 모든 소수는 약수가 2개뿐이다.

③ 1은 합성수이다.

④ 23은 합성수이다.

⑤ 가장 작은 합성수는 1이다.

중요도 ☐ 손도 못댐 ☐ 과정 실수 ☐ 틀린 이유:

04 다음 중 합성수를 고르면?

① 2   ② 5   ③ 9

④ 11   ⑤ 13

중요도 ☐ 손도 못댐 ☐ 과정 실수 ☐ 틀린 이유:

05 216을 소인수분해하여라.

중요도 ☐ 손도 못댐 ☐ 과정 실수 ☐ 틀린 이유:

06 120의 소인수를 모두 구한 것은?

① 2, 3　　　　② 3, 5　　　　③ 2, 3, 5
④ 3, 5, 8　　　⑤ 1, 2, 3, 5

중요도 ☐ 손도 못댐 ☐ 과정 실수 ☐ 틀린 이유:

07 다음 중 2 또는 3 이외의 수를 소인수로 가지는
것은?

① 12　　　　② 27　　　　③ 45
④ 54　　　　⑤ 72

중요도 ☐ 손도 못댐 ☐ 과정 실수 ☐ 틀린 이유:

08 48에 자연수를 곱하여 어떤 자연수의 제곱이 되도
록 할 때, 곱해야 하는 가장 작은 자연수를 구하면?

① 3　　　　② 4　　　　③ 6
④ 9　　　　⑤ 27

09 156에 자연수를 곱하여 어떤 자연수의 제곱이 되도록 할 때 곱할 수 있는 가장 작은 자연수를 구하여라.

중요도 ☐ 손도 못댐 ☐ 과정 실수 ☐ 틀린 이유:

10 소인수분해를 이용하여 96의 약수를 모두 구하여라.

중요도 ☐ 손도 못댐 ☐ 과정 실수 ☐ 틀린 이유:

11 다음 중 240의 약수가 아닌 것은?

중요도 ☐ 손도 못댐 ☐ 과정 실수 ☐ 틀린 이유:

① 2^4 ② 3^2 ③ 5
④ 3×5 ⑤ $2^3 \times 3 \times 5$

12 $2^2 \times 3^3 \times 7$의 약수의 개수는?

중요도 ☐ 손도 못댐 ☐ 과정 실수 ☐ 틀린 이유:

① 6   ② 12   ③ 18
④ 24   ⑤ 26

중요도 ☐ 손도 못댐 ☐ 과정 실수 ☐ 틀린 이유:

13 360의 약수의 개수를 구하여라.

중요도 ☐ 손도 못댐 ☐ 과정 실수 ☐ 틀린 이유:

14 420의 약수의 개수는?

① 12   ② 24   ③ 36
④ 48   ⑤ 60

중요도 ☐ 손도 못댐 ☐ 과정 실수 ☐ 틀린 이유:

15 $\dfrac{96}{n}$이 자연수가 되게 하는 자연수 n의 개수를 구하여라.

중요도 ☐ 손도 못댐 ☐ 과정 실수 ☐ 틀린 이유:

16 소인수분해한 결과가 $2^2 \times a^b$인 가장 작은 수의 약수의 개수가 12개라고 할 때, $a+b$의 값은?

① 4   ② 5   ③ 6
④ 7   ⑤ 8

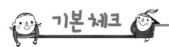

02 최대공약수

학습목표 · 최대공약수의 성질을 이해하고, 이를 구할 수 있다.

기본 체크

핵심 정리

01

다음 수 중에서 서로소인 두 수를 찾아라.

| 6, 18, 27, 42, 50 |

02

다음 수들의 최대공약수를 거듭제곱을 사용하여 나타내어라.

| $2^3 \times 5^2$, $2^2 \times 3 \times 5$ |

✪ 최대공약수를 구하는 방법

[방법1] 나눗셈을 이용하는 방법

① 몫이 서로소가 될 때까지 1이 아닌 공약수로 각 수를 계속 나눈다.
② 나누어 준 공약수를 모두 곱한다.

[방법2] 소인수분해를 이용하는 방법

① 각 수를 소인수분해한다.
② 공통인 소인수를 모두 곱한다.

> 예 36과 90의 최대공약수 구하기
>
> [방법1]
>
> $\begin{array}{r|ll} 2 & 36 & 90 \\ \hline 3 & 18 & 45 \\ \hline 3 & 6 & 15 \\ \hline & 2 & 5 \end{array}$
>
> [방법2]
>
> $36 = 2 \times 2 \times 3 \times 3$
> $90 = 2 \quad\ \times 3 \times 3 \times 5$
> $\qquad\quad 2 \times 2 \times 3 \times 3 \times 5$
>
> ⇨ (최대공약수)$= 2 \times 3 \times 3 = 18$

✪ 최대공약수의 활용 문제 푸는 순서

① 문제의 뜻 파악하기
② 최대공약수 구하기
③ 확인하기

참고 문제에서 '가능한 한 많은', '가장 큰', '최대한', '될 수 있는 대로 많이' 등의 표현이 있을 때, 대부분 최대공약수를 이용하여 문제를 해결한다.

대표예제

· 정답 및 풀이 4쪽

01 두 수 18, 30의 최대공약수를 구하여라.

풀이 두 수의 공약수로 나누고, 나누어 준 공약수를 모두 곱한다.

$\begin{array}{r|ll} 2 & 18 & 30 \\ \hline \Box & 9 & \Box \\ \hline & 3 & \Box \end{array}$

따라서, 최대공약수는 $2 \times \Box = \Box$

> 반드시 소수로만 나눌 필요는 없다.
> 공통인 인수로 나누어 주면 된다.

02 두 자연수 a, b의 최대공약수가 14일 때, a와 b의 공약수를 모두 구하여라.

풀이 두 수 a, b의 공약수는 □□□□의 약수와 같고, 두 수의 최대공약수가 14이므로 구하는 공약수는 □의 약수 1, □□□와 같다.

공약수와 최대공약수 사이의 관계를 이용한다.
: 두 수 이상의 공약수는 최대공약수의 약수이다.

03 20보다 크고 30보다 작은 자연수 중에서 12와 서로소인 자연수를 모두 구하여라.

풀이 12의 소인수가 2와 □이므로 20보다 크고 30보다 작은 자연수 중에서 12와 서로소인 수는 2 또는 □을 약수로 갖지 않아야 한다.
따라서, 구하는 수는 23, □□□이다.

서로소 : 공약수가 1뿐인 두 자연수
⇨ 최대공약수가 1인 두 자연수

04 세 수 16, 24, 32의 최대공약수를 구하여라.

풀이

```
2 ) 16  24  32
2 )  8  12  16
□ )  4   6   8
     2  □   □
```

따라서, 최대공약수는 $2 \times 2 \times □ = □$이다.

공약수로 나눌 때 1 이외의 공약수가 없으면 멈춘다.

05 어떤 수로 33을 나누면 3이 남고, 94를 나누면 4가 남고, 110을 나누면 5가 남는 자연수 중 가장 큰 수를 구하여라.

풀이 33을 나누어 3이 남으면 나누어떨어지는 수는 30이고
94를 나누어 4가 남으면 나누어떨어지는 수는 □□이고
110을 나누어 5가 남으면 나누어떨어지는 수는 105이다.
30, □□, 105의 □□□□□를 구하면

```
3 ) 30  □   105
□ ) 10  □    35
    2   □     7
```

따라서, 구하는 가장 큰 수는 $3 \times □ = □$이다.

'가장 큰'의 표현이 있으므로 최대공약수 문제이다.

왜 최소공약수는 구하지 않나?

1은 모든 수의 약수이므로 모든 자연수의 최소공약수는 항상 1이고, 이를 구하는 것은 의미가 없다.

어떤 교과서에나 나오는 문제

01 어떤 두 수의 최대공약수가 24이다. 이 두 수의
공약수가 <u>아닌</u> 것은?

중요도 ☐ 손도 못댐 ☐ 과정 실수 ☐ 틀린 이유:

① 4　　　　② 6　　　　③ 8
④ 10　　　⑤ 12

02 두 수 36과 48의 공약수 중 가장 큰 수는?

중요도 ☐ 손도 못댐 ☐ 과정 실수 ☐ 틀린 이유:

① 6　　　　② 9　　　　③ 12
④ 18　　　⑤ 24

03 다음 중에서 두 수가 서로소인 것은?

중요도 ☐ 손도 못댐 ☐ 과정 실수 ☐ 틀린 이유:

① 16, 18　　② 7, 91　　③ 24, 27
④ 11, 99　　⑤ 25, 169

04 두 수 $2^2 \times 3 \times 5^2$과 $2 \times 5 \times 7$의 최대공약수는?

중요도 ☐ 손도 못댐 ☐ 과정 실수 ☐ 틀린 이유:

① 2×5　　　　　　② $2^2 \times 5$
③ $2 \times 3 \times 5 \times 7$　　　④ $2^2 \times 3 \times 5^2$
⑤ $2^2 \times 3 \times 5^2 \times 7$

05 두 수 48과 60을 각각 같은 수로 나누어 자연수가
되게 하는 수를 모두 구하여라.

중요도 ☐ 손도 못댐 ☐ 과정 실수 ☐ 틀린 이유:

06 세 수 2×5^2, $2^2 \times 3 \times 5$, $2^3 \times 3^2 \times 5$의 최대공약수를 구하여라.

중요도 ☐   손도 못댐 ☐   과정 실수 ☐   틀린 이유:

07 세 수 30, 42, 108의 최대공약수를 구하여라.

중요도 ☐   손도 못댐 ☐   과정 실수 ☐   틀린 이유:

08 사탕 120개, 초콜릿 80개, 빵 100개를 가능한 한 많은 학생들에게 남김없이 똑같이 나누어 주려고 한다. 최대 몇 명에게 나누어 줄 수 있는가?

① 10명   ② 15명   ③ 20명
④ 25명   ⑤ 30명

중요도 ☐   손도 못댐 ☐   과정 실수 ☐   틀린 이유:

09 100보다 큰 어떤 자연수와 96의 최대공약수가 16이다. 이러한 수 중 가장 작은 수를 구하여라.

중요도 ☐   손도 못댐 ☐   과정 실수 ☐   틀린 이유:

10 사과 24개, 귤 32개, 방울토마토 48개를 가능한 한 많은 접시에 남김없이 똑같이 나누어 담으려고 한다. 이때, 필요한 접시의 개수는?

① 2개   ② 4개   ③ 6개
④ 8개   ⑤ 12개

중요도 ☐   손도 못댐 ☐   과정 실수 ☐   틀린 이유:

시험에 꼭 나오는 문제

최대공약수

중요도 ☐ 손도 못댐 ☐ 과정 실수 ☐ 틀린 이유:

01 두 수 $2^3 \times 3 \times 5^3$, $2 \times 3^2 \times 7$의 최대공약수를 구하여라.

중요도 ☐ 손도 못댐 ☐ 과정 실수 ☐ 틀린 이유:

02 두 자연수 a, b의 최대공약수가 14일 때, 다음 중 a, b의 공약수가 <u>아닌</u> 것은?

① 1 　② 2 　③ 4
④ 7 　⑤ 14

중요도 ☐ 손도 못댐 ☐ 과정 실수 ☐ 틀린 이유:

03 두 수 24, 56의 공약수들의 합을 구하여라.

중요도 ☐ 손도 못댐 ☐ 과정 실수 ☐ 틀린 이유:

04 다음 두 자연수가 서로소인 것을 모두 고르면?

(정답 2개)

① 2, 5 　② 5, 10 　③ 6, 15
④ 12, 18 　⑤ 28, 81

05 두 수 $2 \times 3^2 \times 5$, $2^2 \times 5^3 \times 7$의 최대공약수를 구하여라.

중요도 ☐   손도 못댐 ☐   과정 실수 ☐   틀린 이유:

06 다음 중 $2^3 \times 3^2 \times 5$, $2^2 \times 3 \times 5^2$의 공약수가 <u>아닌</u> 것은?

중요도 ☐   손도 못댐 ☐   과정 실수 ☐   틀린 이유:

① 2 ② $2^3 \times 3$ ③ $2^2 \times 5$
④ $2 \times 3 \times 5$ ⑤ $2^2 \times 3 \times 5$

07 두 자연수 A, B의 최대공약수가 36일 때, A와 B의 공약수의 개수는?

중요도 ☐   손도 못댐 ☐   과정 실수 ☐   틀린 이유:

① 3 ② 4 ③ 6
④ 9 ⑤ 12

08 두 수 $2^3 \times 3 \times 5$, $2^2 \times 3^2$의 공약수의 개수를 구하여라.

중요도 ☐   손도 못댐 ☐   과정 실수 ☐   틀린 이유:

09 세 수 $2^2 \times 3 \times 5^2$, $2 \times 5^3 \times 7^2$, $2^2 \times 3^2 \times 5 \times 7$의 최대공약수를 구하여라.

중요도 ☐   손도 못댐 ☐   과정 실수 ☐   틀린 이유:

10 세 자연수 30, 48, 84의 공약수의 개수를 구하여라.

11 두 분수 $\dfrac{18}{n}$ 과 $\dfrac{24}{n}$ 를 자연수로 만드는 자연수 n의 최

댓값은?

① 1　　　　② 2　　　　③ 3
④ 4　　　　⑤ 6

12 사탕 20개, 파이 12개를 가능한 한 많은 사람들에게 남김없이 똑같이 나누어 주려고 한다. 이때, 나누어 줄 수 있는 사람의 수를 구하여라.

13 방울토마토 120개와 자두 72개를 가능한 한 많은 사람에게 남김없이 똑같이 나누어 주려고 한다. 몇 명에게 나누어 줄 수 있는가?

① 12명　　　② 24명　　　③ 30명
④ 36명　　　⑤ 40명

• 정답 및 풀이 5쪽

중요도 ☐ 손도 못댐 ☐ 과정 실수 ☐ 틀린 이유:

14 가로의 길이가 144 cm이고, 세로의 길이가 81 cm인 직사각형 모양의 벽면에 정사각형 모양의 타일을 빈틈없이 붙이려고 한다. 가능한 한 큰 정사각형 모양의 타일을 붙일 때, 필요한 타일의 개수를 구하여라.

중요도 ☐ 손도 못댐 ☐ 과정 실수 ☐ 틀린 이유:

15 가로의 길이가 30 m, 세로의 길이가 24 m인 직사각형 모양의 꽃밭이 있다. 꽃밭의 가장자리를 따라 일정한 간격으로 꽃을 심는데, 네 모퉁이에는 반드시 꽃을 심는다고 한다. 준비해야 될 꽃은 최소한 몇 송이인가?

① 14송이　　② 15송이　　③ 16송이
④ 17송이　　⑤ 18송이

중요도 ☐ 손도 못댐 ☐ 과정 실수 ☐ 틀린 이유:

16 세 분수 $\dfrac{24}{n}, \dfrac{84}{n}, \dfrac{108}{n}$을 모두 자연수로 만드는 자연수 n의 값을 모두 구하여라.

중요도 ☐ 손도 못댐 ☐ 과정 실수 ☐ 틀린 이유:

17 어느 동아리 학생들은 재활용품 판매수익으로 구입한 공책 114권, 연필 44자루를 학생들에게 똑같이 나누어 주었더니, 공책은 6권이 남고, 연필은 4자루가 부족하였다. 이 동아리의 최대 학생 수를 구하여라.

03 최소공배수

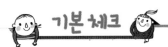 기본 체크

01
두 수 6, 8의 최소공배수를 구하여라.

02
두 자연수 $2^a \times 3$, $2 \times 3^b \times 5$의 최소공배수가 $2^2 \times 3^3 \times 5$일 때, $a+b$의 값을 구하여라.

 핵심 정리

✻ 최소공배수를 구하는 방법

[방법1] 나눗셈을 이용하는 방법

① 몫이 서로소가 될 때까지 1이 아닌 공약수로 각 수를 계속 나눈다.
② 나누어 준 공약수와 마지막 몫을 모두 곱한다.

[방법2] 소인수분해를 이용하는 방법

① 각 수를 소인수분해한다.
② 공통인 소인수와 공통이 아닌 소인수를 모두 곱한다.

예 36과 90의 최소공배수 구하기

[방법1]
```
2 )36  90
3 )18  45
3 ) 6  15
    2   5
```

[방법2]
$$36 = 2 \times 2 \times 3 \times 3$$
$$90 = 2 \quad\quad \times 3 \times 3 \times 5$$
$$\overline{2 \times 2 \times 3 \times 3 \times 5}$$

⇨ (최소공배수) $= 2 \times 2 \times 3 \times 3 \times 5 = 180$

✻ 최소공배수의 활용 문제 푸는 순서

① 문제의 뜻 파악하기
② 최소공배수 구하기
③ 확인하기

참고 문제에서 '가능한 한 적은', '가장 작은', '최소한', '될 수 있는 대로 적게' 등의 표현이 있을 때, 대부분 최소공배수를 이용하여 문제를 해결한다.

 대표예제

• 정답 및 풀이 7쪽

01 두 수 24, 32의 최소공배수를 구하여라.

풀이 두 수의 공약수로 나누고, 나누어 준 공약수와 마지막 몫을 모두 곱한다.

```
2 )24  32
2 )12  16
□ ) 6   8
    3  □
```

따라서, 최소공배수는 $2 \times 2 \times \square \times 3 \times \square = \square$

> 어느 두 수의 몫이 서로소가 될 때까지 계속 나눈다.

02 두 자연수 a, b의 최소공배수가 60일 때, 300 이하의 a와 b의 공배수의 개수를 구하여라.

풀이 두 수 a, b의 공배수는 □□□의 배수와 같고, 두 수의 최소공배수가 60이므로 구하는 공배수는 □의 배수와 같다.
따라서, 300 이하의 공배수의 개수는 □개다.

> 공배수와 최소공배수 사이의 관계를 이용한다.
> : 두 수 이상의 공배수는 최소공배수의 배수이다.

03 두 자연수 a, b에 대하여 두 수 $2^4 \times 3^a$, $2^b \times 3 \times 7$의 최대공약수가 $2^2 \times 3$, 최소공배수가 $2^4 \times 3^3 \times 7$일 때, $a+b$의 값을 구하여라.

풀이 두 수 $2^4 \times 3^a$, $2^b \times 3 \times 7$의 최대공약수가 $2^2 \times 3$이므로 $b=$□이고 최소공배수가 $2^4 \times 3^3 \times 7$이므로 $a=$□이다.
따라서, $a+b=$□이다.

> 최소공배수는 공통인 소인수 중 지수가 같거나 큰 것을 택하고 공통이 아닌 소인수도 모두 곱한다.

04 두 자연수의 곱이 720이고, 최대공약수가 12일 때, 이 두 수의 최소공배수를 구하여라.

풀이 (두 수의 곱) $=$ (최대공약수) $\times$ (최소공배수)에서
$720=$□$\times$(최소공배수)
$\therefore$ (최소공배수) $=$□

> (두 수의 곱)
> $=$(최대공약수)$\times$(최소공배수)

05 어느 산책로를 한 바퀴 도는 데 미영이는 15분, 기수는 20분이 걸린다. 이와 같은 속력으로 두 사람이 같은 곳에서 동시에 출발하여 같은 방향으로 산책로를 돌 때, 처음으로 다시 출발점에서 만나게 되는 것은 미영이가 산책로를 몇 바퀴 돌았을 때인지 구하여라.

풀이 미영이는 15분마다, 기수는 20분마다 출발점을 지나게 된다.
동시에 출발하여 처음으로 다시 출발점에서 만나게 되는 것은 □분 후이므로 미영이가 □바퀴를 돌았을 때이다.

> '처음으로 다시'의 표현이 있으므로 최소공배수 문제이다.

왜 최대공배수는 구하지 않나?

최소공배수는 공배수 중에서 가장 작은 수이고, 그 배수들은 모두 공배수가 된다. 따라서, 공배수는 무한히 커지므로 최대공배수는 무한대이고, 이를 구하는 것은 의미가 없다.

01 8의 배수이면서 12의 배수인 수 중 가장 작은 자연수를 구하여라.

중요도 ☐ 손도 못댐 ☐ 과정 실수 ☐ 틀린 이유:

02 두 수 6, 9의 공배수 중 100 이하의 자연수의 개수를 구하여라.

중요도 ☐ 손도 못댐 ☐ 과정 실수 ☐ 틀린 이유:

03 두 수 $2^a \times 3$, $2^2 \times 3^b \times 5$의 최소공배수가 $2^3 \times 3^2 \times 5$일 때, $a+b$의 값은?

중요도 ☐ 손도 못댐 ☐ 과정 실수 ☐ 틀린 이유:

① 2   ② 3   ③ 4

④ 5   ⑤ 6

04 세 수 $2^2 \times 3 \times 5 \times 7^3$, $2^3 \times 3 \times 5^2$, $2 \times 3^2 \times 7$의 최소공배수를 거듭제곱을 사용하여 나타내어라.

중요도 ☐ 손도 못댐 ☐ 과정 실수 ☐ 틀린 이유:

05 세 수 18, 24, 30의 최소공배수를 구하여라.

중요도 ☐ 손도 못댐 ☐ 과정 실수 ☐ 틀린 이유:

06 두 자연수의 곱이 567이고, 최소공배수가 63일 때, 이 두 수의 최대공약수를 구하여라.

중요도 ☐ 손도 못댐 ☐ 과정 실수 ☐ 틀린 이유:

07 두 톱니바퀴 A, B가 서로 맞물려 돌고 있다. 톱니의 수가 각각 16개와 24개일 때, 두 톱니바퀴가 돌기 시작하여 다시 처음의 위치에서 맞물리려면 톱니바퀴 A는 최소한 몇 바퀴 돌아야 하는가?

① 2바퀴   ② 3바퀴   ③ 4바퀴
④ 5바퀴   ⑤ 6바퀴

중요도 ☐ 손도 못댐 ☐ 과정 실수 ☐ 틀린 이유:

08 세 자연수 4, 5, 6 중의 어느 수로 나누어도 나머지가 1인 가장 작은 자연수를 구하여라.

중요도 ☐ 손도 못댐 ☐ 과정 실수 ☐ 틀린 이유:

시험에 꼭 나오는 문제

중요도 ☐ 손도 못댐 ☐ 과정 실수 ☐ 틀린 이유:

01 두 수 $2^3 \times 3 \times 5^3$, $2 \times 3^2 \times 7$의 최소공배수를 거듭
제곱을 사용하여 나타내어라.

중요도 ☐ 손도 못댐 ☐ 과정 실수 ☐ 틀린 이유:

02 어떤 두 수의 최소공배수가 12일 때, 이 두 수의
공배수가 <u>아닌</u> 것은?

① 96　　　② 106　　　③ 132
④ 144　　　⑤ 180

중요도 ☐ 손도 못댐 ☐ 과정 실수 ☐ 틀린 이유:

03 두 수 6, 8의 공배수 중 100 미만인 수의 개수를
구하여라.

중요도 ☐ 손도 못댐 ☐ 과정 실수 ☐ 틀린 이유:

04 두 수 $2^2 \times 3 \times 5^2$과 90의 최소공배수는?

① 150　　　② 225　　　③ 450
④ 900　　　⑤ 1800

중요도 ☐ 손도 못댐 ☐ 과정 실수 ☐ 틀린 이유:

05 세 자연수 a, b, c에 대하여 두 수 $2^a \times 3^2 \times 5$, $2 \times 3^b \times 5^c$의 최대공약수가 $2 \times 3 \times 5$이고, 최소공배수가 $2^3 \times 3^2 \times 5$일 때, $a+b+c$의 값을 구하여라.

중요도 ☐ 손도 못댐 ☐ 과정 실수 ☐ 틀린 이유:

06 세 수 2×5^2, $2^3 \times 3 \times 5^3$, $2 \times 3^2 \times 7$의 최소공배수를 거듭제곱을 사용하여 나타내어라.

중요도 ☐ 손도 못댐 ☐ 과정 실수 ☐ 틀린 이유:

07 세 수 32, 56, 64의 최소공배수를 구하여라.

중요도 ☐ 손도 못댐 ☐ 과정 실수 ☐ 틀린 이유:

08 $2^2 \times 3^3 \times 5$와 어떤 수의 최대공약수가 $2^2 \times 3$이고, 최소공배수가 $2^3 \times 3^3 \times 5$일 때, 어떤 수는?

① 2×3^2 ② $2^2 \times 3$ ③ $2^3 \times 3$
④ $2^3 \times 3^2$ ⑤ $2^3 \times 3^2 \times 5$

09 두 자연수의 곱이 324이고, 최대공약수가 6일 때, 이 두 수의 최소공배수를 구하여라.

중요도 ☐ 손도 못댐 ☐ 과정 실수 ☐ 틀린 이유:

10 두 자연수의 곱이 1080이고, 최소공배수가 180일 때, 이 두 수의 최대공약수를 구하여라.

중요도 ☐ 손도 못댐 ☐ 과정 실수 ☐ 틀린 이유:

11 $\dfrac{5}{18} \times n$과 $\dfrac{11}{30} \times n$이 모두 자연수가 되게 하는 자연수 n의 값 중 가장 작은 것을 구하여라.

중요도 ☐ 손도 못댐 ☐ 과정 실수 ☐ 틀린 이유:

12 가로의 길이가 16 cm, 세로의 길이가 24 cm인 직사각형 모양의 타일이 있다. 이 타일을 같은 방향으로 겹치지 않게 붙여서 가능한 한 작은 정사각형을 만들려고 한다. 이때, 필요한 타일의 개수를 구하여라.

중요도 ☐ 손도 못댐 ☐ 과정 실수 ☐ 틀린 이유:

13 두 분수 $\dfrac{14}{15}$, $\dfrac{49}{20}$의 어느 것에 곱하여도 그 결과가 자연수가 되는 분수 중에서 가장 작은 기약분수를 구하여라.

중요도 ☐ 손도 못댐 ☐ 과정 실수 ☐ 틀린 이유:

14 세 분수 $\dfrac{12}{5}$, $\dfrac{30}{7}$, $\dfrac{42}{25}$의 어느 것에 곱하여도 그 결과가 자연수가 되는 분수 중에서 가장 작은 기약분수를 구하여라.

중요도 ☐ 손도 못댐 ☐ 과정 실수 ☐ 틀린 이유:

15 어느 버스 터미널에서 세 종류의 버스가 각각 20분, 30분, 45분마다 출발한다고 한다. 오전 6시에 세 버스가 동시에 출발하였다면 처음으로 다시 세 버스가 동시에 출발하는 시각을 구하여라.

중요도 ☐ 손도 못댐 ☐ 과정 실수 ☐ 틀린 이유:

16 11, 12, 13의 어느 것으로 나누어도 나머지가 1이 되는 수 중에서 가장 작은 수를 구하여라.

중요도 ☐ 손도 못댐 ☐ 과정 실수 ☐ 틀린 이유:

17 어느 반 학생들을 2명씩 조를 짜면 1명이 남고, 3명씩 조를 짜면 2명이 남고, 4명씩 조를 짜면 3명이 남는다고 할 때, 이 반의 학생 수는? (단, 학생 수는 30명 이하이다.)

① 23명　　　② 24명　　　③ 25명
④ 26명　　　⑤ 27명

단원종합문제[01~03]

01 중요도 ☐ 손도 못댐 ☐ 과정 실수 ☐ 틀린 이유:

다음 중 옳은 것은?

① 소수는 자기 자신만을 약수로 갖는다.
② 30을 소인수분해하면 5×6이다.
③ 1은 합성수이다.
④ 5 이하의 소수의 개수는 3이다.
⑤ 자연수는 소수와 합성수로 이루어져 있다.

02 중요도 ☐ 손도 못댐 ☐ 과정 실수 ☐ 틀린 이유:

3^{99}의 일의 자리의 숫자를 구하면?

① 1　　　　② 2　　　　③ 3
④ 7　　　　⑤ 9

03 중요도 ☐ 손도 못댐 ☐ 과정 실수 ☐ 틀린 이유:

자연수 88의 소인수를 모두 구하여라.

04 중요도 ☐ 손도 못댐 ☐ 과정 실수 ☐ 틀린 이유:

60에 자연수를 곱하여 어떤 자연수의 제곱이 되도록 할 때, 곱해야 하는 가장 작은 자연수를 구하여라.

05 중요도 ☐ 손도 못댐 ☐ 과정 실수 ☐ 틀린 이유:

다음 중 $3^3 \times 5^2$의 약수가 <u>아닌</u> 것은?

① 3^2　　　　② 5　　　　③ $3^2 \times 5^2$
④ $3^3 \times 5$　　　　⑤ 3×5^3

06 중요도 ☐ 손도 못댐 ☐ 과정 실수 ☐ 틀린 이유:

$2 \times 3^3 \times 5^2$의 약수의 개수는?

① 6　　　　② 9　　　　③ 12
④ 24　　　　⑤ 30

07 중요도 ☐ 손도 못댐 ☐ 과정 실수 ☐ 틀린 이유:

112의 약수의 개수를 구하여라.

• 정답 및 풀이 9쪽

08 중요도 ☐ 손도 못댐 ☐ 과정 실수 ☐ 틀린 이유:

두 수 24, 32의 최대공약수를 구하여라.

09 중요도 ☐ 손도 못댐 ☐ 과정 실수 ☐ 틀린 이유:

어떤 두 자연수의 최대공약수가 16일 때, 이 두 자연수의 공약수 중에서 두 번째로 큰 수를 구하여라.

10 중요도 ☐ 손도 못댐 ☐ 과정 실수 ☐ 틀린 이유:

다음 중 70과 서로소인 것은?

① 9   ② 16   ③ 25
④ 36   ⑤ 49

11 중요도 ☐ 손도 못댐 ☐ 과정 실수 ☐ 틀린 이유:

다음 중 두 수 $2^2 \times 7^2$, $2^3 \times 5 \times 7$의 공약수인 것을 모두 고르면? (정답 2개)

① 2^2 ② 5×7 ③ $2^2 \times 7$
④ 2×7^2 ⑤ $2^3 \times 7$

12 중요도 ☐ 손도 못댐 ☐ 과정 실수 ☐ 틀린 이유:

두 수 $2 \times 3^2 \times 5$, $2^2 \times 3 \times 7^2$의 공약수의 개수를 구하여라.

13 중요도 ☐ 손도 못댐 ☐ 과정 실수 ☐ 틀린 이유:

세 수 28, 52, 96의 최대공약수를 구하여라.

14 중요도 ☐ 손도 못댐 ☐ 과정 실수 ☐ 틀린 이유:

두 분수 $\dfrac{12}{n}$와 $\dfrac{20}{n}$을 자연수로 만드는 자연수 n의 최댓값을 구하여라.

15 중요도 ☐ 손도 못댐 ☐ 과정 실수 ☐ 틀린 이유:

두 수 18, 30의 최소공배수를 구하여라.

16 중요도 ☐ 손도 못댐 ☐ 과정 실수 ☐ 틀린 이유:

두 수 $2^3 \times 3^2 \times 5$와 300의 최소공배수는?

① 2×3　　　② $2^3 \times 3$　　　③ $2^2 \times 3^2 \times 5$

④ $2^3 \times 3^2 \times 5$　　⑤ $2^3 \times 3^2 \times 5^2$

17 중요도 ☐ 손도 못댐 ☐ 과정 실수 ☐ 틀린 이유:

두 수 12, 28의 공배수 중 300 미만인 수의 개수를 구하여라.

18 중요도 ☐ 손도 못댐 ☐ 과정 실수 ☐ 틀린 이유:

세 수 $2^2 \times 3$, $2^3 \times 3^2 \times 5$, $2 \times 3^2 \times 7$의 최소공배수를 거듭제곱을 사용하여 나타내어라.

19 중요도 ☐ 손도 못댐 ☐ 과정 실수 ☐ 틀린 이유:

세 수 36, 72, 90의 최소공배수를 구하여라.

20 중요도 ☐ 손도 못댐 ☐ 과정 실수 ☐ 틀린 이유:

두 자연수의 곱이 640이고, 최대공약수가 8일 때, 이 두 수의 최소공배수를 구하여라.

21 중요도 ☐ 손도 못댐 ☐ 과정 실수 ☐ 틀린 이유:

$\dfrac{7}{12} \times n$과 $\dfrac{9}{16} \times n$이 모두 자연수가 되게 하는 자연수 n의 값 중 가장 작은 것을 구하여라.

22 중요도 ☐ 손도 못댐 ☐ 과정 실수 ☐ 틀린 이유:

연필 72자루, 노트 60권을 가능한 한 많은 사람들에게 남김없이 똑같이 나누어 주려고 한다. 이때, 나누어 줄 수 있는 사람의 수를 구하여라.

• 정답 및 풀이 9쪽

23 중요도 ☐ 손도 못댐 ☐ 과정 실수 ☐ 틀린 이유:

어떤 수로 48을 나누면 6이 부족하고 80을 나누면 10이 부족하고 130을 나누면 4가 남는 자연수 중 가장 큰 수를 구하여라.

24 중요도 ☐ 손도 못댐 ☐ 과정 실수 ☐ 틀린 이유:

두 수 6과 8 중 어느 수로 나누어도 나머지가 3인 가장 작은 자연수를 구하여라.

25 중요도 ☐ 손도 못댐 ☐ 과정 실수 ☐ 틀린 이유:

두 분수 $\dfrac{18}{25}$, $\dfrac{24}{35}$ 의 어느 것에 곱하여도 그 결과가 자연수가 되는 분수 중에서 가장 작은 기약분수를 구하여라.

26 중요도 ☐ 손도 못댐 ☐ 과정 실수 ☐ 틀린 이유:

가로, 세로의 길이가 각각 420 cm, 200 cm인 직사각형 모양의 발코니에 정사각형 모양의 타일을 빈틈없이 꼭 맞게 깔려고 한다. 이때, 가능한 적게 사용할 수 있는 타일의 개수는?

① 10 　　　　② 20 　　　　③ 21
④ 210 　　　　⑤ 420

27 중요도 ☐ 손도 못댐 ☐ 과정 실수 ☐ 틀린 이유:

높이가 8 cm, 12 cm, 18 cm인 세 종류의 블록이 있다. 이 세 종류의 블록을 각각 쌓아 높이를 같게 하려고 한다. 가능한 적은 블록으로 쌓으려고 할 때, 블록의 높이를 구하여라.

28 중요도 ☐ 손도 못댐 ☐ 과정 실수 ☐ 틀린 이유:

15로 나누면 12가 남고, 6으로 나누면 3이 남고, 8로 나누면 5가 남는 세 자리 자연수 중에서 가장 큰 수를 구하여라.

04 정수와 유리수

학습목표
· 양수와 음수, 정수와 유리수의 개념을 이해한다.
· 정수와 유리수의 대소 관계를 판단할 수 있다.

기본 체크

01

다음 빈 칸에 알맞은 수량을 부호 +, −를 사용하여 나타내어라.

(1) 1000원 이익 : ☐원,
   500원 손해 : −500원
(2) 영상 15 ℃ : +15 ℃,
   영하 3 ℃ : ☐℃

02

다음 수 중에서 양의 정수와 음의 정수를 각각 찾아라.

$$-3, \ +5, \ 0, \ -7, \ 4, \ -6$$

(1) 양의 정수   (2) 음의 정수

03

다음 값을 구하여라.

(1) $|+3|$ (2) $|+6|$
(3) $|-4|$ (4) $|-8|$

핵심 정리

유리수의 분류

유리수 $\begin{cases} 정수 \begin{cases} 양의 정수 (자연수) : +1, +2, +3, \cdots \\ 0 \\ 음의 정수 : -1, -2, -3, \cdots \end{cases} \\ 정수가 아닌 유리수 : \dfrac{1}{3}, -0.5, 3.14, \cdots \end{cases}$

유리수의 대소 관계

① 양수는 0보다 크고, 음수는 0보다 작다.
   즉, 양수는 음수보다 크다.
② 두 양수에서는 절댓값이 큰 수가 크다.
③ 두 음수에서는 절댓값이 큰 수가 작다.

수직선 위에서 원점과 어떤 유리수를 나타내는 점 사이의 거리를 그 수의 절댓값이라고 한다.

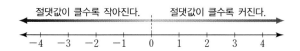

절댓값이 클수록 작아진다.   절댓값이 클수록 커진다.

대표예제

· 정답 및 풀이 11쪽

01

다음의 수 중에서 자연수의 개수를 a개, 정수의 개수를 b개, 정수가 아닌 유리수의 개수를 c개라 할 때, $a+b+c$의 값을 구하여라.

$$-2, \ \frac{1}{5}, \ 0, \ 4, \ -11.5, \ +6, \ -9$$

풀이 자연수는 4, +6의 2개이므로 $a=2$
정수는 −2, 0, 4, +6, −9의 5개이므로 $b=$☐
정수가 아닌 유리수는 ☐의 ☐개이므로 $c=$☐
∴ $a+b+c=2+$☐$+$☐$=$☐

> 분자, 분모(≠0)가 모두 정수인 분수로 나타낼 수 있는 수로 양의 유리수, 0, 음의 유리수를 통틀어 유리수라고 한다.

02 다음을 구하여라.

(1) $+\dfrac{2}{9}$의 절댓값

(2) $-\dfrac{5}{3}$의 절댓값

(3) 절댓값이 $\dfrac{1}{7}$인 수

(4) 절댓값이 $\dfrac{4}{3}$인 수

풀이 (1) $\left(+\dfrac{2}{9}$의 절댓값$\right) = \left|+\dfrac{2}{9}\right| = \boxed{}$

(2) $\left(-\dfrac{5}{3}$의 절댓값$\right) = \left|-\dfrac{5}{3}\right| = \boxed{}$

(3) $\left|+\dfrac{1}{7}\right| = \left|-\dfrac{1}{7}\right| = \dfrac{1}{7}$이므로 절댓값이 $\dfrac{1}{7}$인 수는 $\boxed{}$이다.

(4) $\left|+\dfrac{4}{3}\right| = \left|-\dfrac{4}{3}\right| = \dfrac{4}{3}$이므로 절댓값이 $\dfrac{4}{3}$인 수는 $\boxed{}$이다.

> 절댓값이 양수 a인 수는 항상 a와 $-a$로 2개 존재한다.

03 다음 □ 안에 부등호 $<$, $>$ 중 알맞은 것을 써넣어라.

(1) $+\dfrac{1}{4}$ □ $-\dfrac{3}{2}$

(2) $-\dfrac{2}{5}$ □ 0

(3) $+\dfrac{4}{3}$ □ $+\dfrac{5}{2}$

(4) -3 □ -9

풀이 (1) (음수) $<0<$ (양수)이므로 $+\dfrac{1}{4}$ □ $-\dfrac{3}{2}$

(2) (음수) $<0<$ (양수)이므로 $-\dfrac{2}{5}$ □ 0

(3) 양수는 절댓값이 큰 수가 크므로 $+\dfrac{4}{3}$ □ $+\dfrac{5}{2}$

(4) 음수는 절댓값이 작은 수가 크므로 -3 □ -9

> 수를 수직선에 나타낼 때 오른쪽에 있는 수가 큰 수이다.

04 다음의 수를 작은 수부터 차례로 나열하여라.

$$-1, \ +17, \ -15, \ 0, \ +3, \ -9$$

풀이 음수는 절댓값이 작은 수가 크므로 $-15 < \boxed{} < -1$

(음수) $<0<$ (양수)이고, 양수는 절댓값이 큰 수가 크므로

$-1 < 0 < \boxed{} < \boxed{}$

따라서, 작은 수부터 차례로 나열하면 $-15, \boxed{}, -1, 0, \boxed{}, \boxed{}$

> 양수끼리는 절댓값이 큰 수가, 음수끼리는 절댓값이 작은 수가 크다.

음수의 유래

고대 사람들은 그들 나름대로의 기호를 고안하여 오랫동안 자연수만을 사용하였다. 문명이 발달하면서 이집트에서는 분수가 사용되었고, 마야와 힌두에서는 0이 도입되었다. 15세기에 이르러 아랍을 거쳐 유럽으로 음수가 전파된 후에 양수와 음수를 표시하기 위한 기호로 $+$, $-$가 도입되었다.

어떤 교과서에나 나오는 문제

---

01 다음 수를 ＋, －를 사용하여 나타내어라.

(1) 0보다 2만큼 큰 수 :

(2) 0보다 5만큼 큰 수 :

(3) 0보다 4만큼 작은 수 :

(4) 0보다 7만큼 작은 수 :

---

02 다음 설명 중 옳지 <u>않은</u> 것은?

① 0은 정수이다.

② 양의 정수 중 가장 작은 수는 ＋1이다.

③ 정수는 양의 정수와 음의 정수로만 이루어져 있다.

④ 자연수와 양의 정수는 같은 수이다.

⑤ 음의 정수 중 가장 큰 수는 －1이다.

---

03 다음 수 중에서 정수가 아닌 유리수를 모두 찾아라.

$$-2, \ \frac{5}{7}, \ -\frac{1}{4}, \ 0, \ -0.3, \ +2.1$$

---

04 다음 수직선에서 점 A, B, C, D에 대응하는 정수를 구하여라. (단, 눈금의 간격은 모두 같다.)

---

05 다음의 수를 수직선 위에 나타낼 때, 가장 왼쪽에 있는 정수 a와 가장 오른쪽에 있는 정수 b를 각각 구하여라.

$$-7, \ +5, \ -15, \ 9, \ 0$$

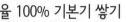
06 절댓값이 같은 두 정수를 수직선 위에 나타내었을 때, 그 거리가 8인 두 정수 중 음의 정수를 구하여라.

중요도 ☐ 손도 못댐 ☐ 과정 실수 ☐ 틀린 이유:

07 다음 수 중에서 절댓값이 가장 큰 정수 a와 절댓값이 가장 작은 정수 b를 각각 구하여라.

$$-5, \ +2, \ -9, \ 4, \ +6$$

중요도 ☐ 손도 못댐 ☐ 과정 실수 ☐ 틀린 이유:

08 다음 ☐ 안에 부등호 $<$, $>$ 중 알맞은 것을 써넣어라.

(1) $+5$ ☐ -1 (2) -3 ☐ 0

(3) $+2$ ☐ $+7$ (4) -2 ☐ -8

중요도 ☐ 손도 못댐 ☐ 과정 실수 ☐ 틀린 이유:

09 다음을 부등호를 사용하여 나타내어라.

(1) x는 $+3$보다 크거나 같다.

(2) x는 0보다 크고 $+6$보다 작거나 같다.

(3) x는 -1 이상이고 5 이하이다.

(4) x는 2보다 작지 않다.

중요도 ☐ 손도 못댐 ☐ 과정 실수 ☐ 틀린 이유:

10 다음의 수를 작은 수부터 차례로 나열하여라.

$$-17, \ +21, \ -8, \ 0, \ +3, \ -4$$

중요도 ☐ 손도 못댐 ☐ 과정 실수 ☐ 틀린 이유:

시험에 꼭 나오는 문제

01 다음 설명 중에서 옳지 <u>않은</u> 것을 모두 고르면? (정답 2개)

① 모든 자연수는 유리수이다.

② $-\dfrac{1}{3}$ 은 음의 유리수이다.

③ 0보다 큰 유리수를 양의 유리수라고 한다.

④ 모든 유리수는 분자, 분모가 자연수인 분수로 나타낼 수 있다.

⑤ 0은 유리수가 아니다.

02 수직선에서 각각 0보다 3만큼 큰 수와 0보다 7만큼 작은 수에 대응하는 두 점 사이의 거리는?

① 0   ② 3   ③ 4

④ 7   ⑤ 10

03 수직선에서 -2에 대응하는 점으로부터 거리가 3인 점에 대응하는 수를 모두 구하여라.

04 수직선에서 -3에 대응하는 점을 A, $+8$에 대응하는 점을 B라고 할 때, 두 점 A, B의 한가운데 있는 점을 M이라고 할 때, 점 M에 대응하는 수를 구하면?

① $-\dfrac{11}{2}$ ② $-\dfrac{5}{2}$ ③ 0

④ $\dfrac{5}{2}$ ⑤ $\dfrac{11}{2}$

05 다음 중 절댓값이 가장 큰 수는?

① $\dfrac{3}{2}$ ② $-\dfrac{4}{3}$ ③ $+\dfrac{6}{5}$

④ $-\dfrac{7}{6}$ ⑤ $+\dfrac{13}{10}$

중요도 ☐ 손도 못댐 ☐ 과정 실수 ☐ 틀린 이유:

06 다음 수를 수직선 위에 나타냈을때, 원점으로부터 가장 멀리 떨어져 있는 것은?

① -3 ② $+1.5$ ③ $-\dfrac{10}{3}$

④ $+\dfrac{9}{2}$ ⑤ $-\dfrac{19}{5}$

중요도 ☐ 손도 못댐 ☐ 과정 실수 ☐ 틀린 이유:

07 두 정수 a, b는 절댓값은 같고 부호는 다르다. a가 b보다 14만큼 크다고 할 때, a의 값을 구하여라.

중요도 ☐ 손도 못댐 ☐ 과정 실수 ☐ 틀린 이유:

08 수직선 위의 두 점 A, B에 대응하는 수가 각각 -5, $+11$일 때, 두 점 A, B에서 같은 거리에 있는 점 C에 대응하는 수는?

① -5 ② -1 ③ 0

④ $+3$ ⑤ $+11$

중요도 ☐ 손도 못댐 ☐ 과정 실수 ☐ 틀린 이유:

09 다음 수들을 수직선 위에 대응시킬 때, 가장 오른쪽에 있는 수를 찾아라.

$$+\dfrac{7}{3},\ -4,\ +3,\ \dfrac{13}{4},\ 0,\ -2.7$$

중요도 ☐ 손도 못댐 ☐ 과정 실수 ☐ 틀린 이유:

10 다음 수를 수직선 위에 대응시킬 때, 가장 왼쪽에 있는 수는?

① $-\dfrac{4}{7}$ ② 0 ③ $\dfrac{16}{3}$

④ $+12.3$ ⑤ -1.2

시험에 꼭 나오는 문제

11 다음의 수를 수직선 위에 나타낼 때, 0을 나타내는 점에서 가장 가까운 수를 구하여라.

$$-1.4, \ \frac{1}{3}, \ +5, \ -\frac{1}{2}, \ +\frac{4}{3}$$

12 다음 〈보기〉 중 옳은 것을 모두 고른 것은?

보기

ⓐ $-4<6$　　　ⓑ $-2>0$
ⓒ $-2<-3$　　　ⓓ $|-8|>|+5|$
ⓔ $|-6|<|+10|$

① ⓐ, ⓒ　　② ⓑ, ⓔ　　③ ⓒ, ⓓ
④ ⓐ, ⓑ, ⓔ　　⑤ ⓐ, ⓓ, ⓔ

13 다음 중 옳은 것은?

① $|-4|<+3$　　② $-2>|-1|$
③ $-7>-3$　　④ $0>|-3|$
⑤ $|+5|<|-6|$

14 다음의 수를 절댓값이 큰 수부터 차례로 나열하여라.

$$-\frac{2}{3}, \ -2, \ 0, \ -3, \ \frac{4}{3}, \ +4$$

15 다음 두 수의 대소 관계로 옳은 것은?

① $-\frac{2}{3}>1$　　② $-\frac{5}{2}<-\frac{5}{3}$

③ $+\frac{7}{2}<+\frac{10}{3}$　　④ $\frac{1}{5}>5$

⑤ $0<-\frac{3}{2}$

중요도 ☐ 손도 못댐 ☐ 과정 실수 ☐ 틀린 이유:

16 다음의 수를 작은 것부터 차례로 나열하여라.

$$-3, \ \frac{4}{11}, \ -2.8, \ 0.4, \ 0, \ -\frac{13}{10}$$

중요도 ☐ 손도 못댐 ☐ 과정 실수 ☐ 틀린 이유:

17 다음 수를 절댓값이 작은 수부터 차례로 나열할 때, 세번째에 오는 수는?

① -2 ② $+3$ ③ -6
④ 0 ⑤ $+7$

중요도 ☐ 손도 못댐 ☐ 과정 실수 ☐ 틀린 이유:

18 두 유리수 $-\frac{11}{3}$ 과 $\frac{5}{2}$ 사이에 있는 정수의 개수를 구하여라.

중요도 ☐ 손도 못댐 ☐ 과정 실수 ☐ 틀린 이유:

19 $-\frac{3}{2} < x \leq \frac{5}{3}$ 인 정수 x의 값을 모두 구하여라.

중요도 ☐ 손도 못댐 ☐ 과정 실수 ☐ 틀린 이유:

20 두 유리수 $\frac{3}{5}$ 과 $-\frac{7}{10}$ 사이에 있는 정수가 아닌 유리수를 기약분수로 나타낼 때, 분모가 10인 기약분수의 개수를 구하여라.

05 정수와 유리수의 덧셈과 뺄셈

부호가 다른 두 수의 합의 부호는 절댓값 이 큰 수의 부호이다.

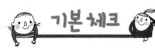 • 정수와 유리수의 덧셈과 뺄셈의 원리를 이해하고, 그 계산을 할 수 있다.

기본 체크

01
다음을 계산하여라.

(1) $(+2)+(+5)$
(2) $(-2)+(-5)$
(3) $(+4)+(-2)$
(4) $(-4)+(+2)$

02
다음을 계산하여라.

(1) $(+6)-(+3)$
(2) $(+2)-(-7)$

03
다음 ㉠, ㉡에 사용한 덧셈의 계산 법칙을 말하여라.

$(-12)+(-3)+(+12)$ ㉠
$=(-3)+(-12)+(+12)$ ㉡
$=(-3)+\{(-12)+(+12)\}$
$=(-3)+0=-3$

핵심 정리

❋ 정수와 유리수의 덧셈
① 부호가 같은 두 수의 덧셈은 두 수의 절댓값의 합에 공통인 부호를 붙여서 계산한다.
② 부호가 다른 두 수의 덧셈은 두 수의 절댓값의 차에 절댓값이 큰 수의 부호를 붙여서 계산한다.
③ 어떤 수와 0의 합은 그 수 자신이다.

❋ 정수와 유리수의 뺄셈
유리수의 뺄셈은 빼는 수의 부호를 바꾸어 더한다.

❋ 덧셈의 계산 법칙
① 덧셈의 교환법칙
$a+b=b+a$ ← 두 수의 순서를 바꾸어도 그 결과는 같다.
② 덧셈의 결합법칙
$(a+b)+c=a+(b+c)$ ← 어느 두 수를 먼저 더하여도 그 결과는 같다.

대표예제

• 정답 및 풀이 13쪽

01 다음을 계산하여라.

(1) $\left(+\dfrac{1}{2}\right)+\left(+\dfrac{2}{3}\right)$ (2) $\left(+\dfrac{2}{5}\right)+\left(-\dfrac{5}{6}\right)$

풀이 (1) $\left(+\dfrac{1}{2}\right)+\left(+\dfrac{2}{3}\right)=\square\left(\dfrac{1}{2}+\dfrac{2}{3}\right)=\square$

(2) $\left(+\dfrac{2}{5}\right)+\left(-\dfrac{5}{6}\right)=\square\left(\dfrac{5}{6}-\dfrac{2}{5}\right)=\square$

부호가 다른 두 수의 합의 부호는 절댓값 이 큰 수의 부호이다.

02 다음을 계산하여라.

(1) $(+3)-(+6)$ (2) $(-2)-(+7)$

풀이 (1) $(+3)-(+6)=(+3)+(\boxed{})=\boxed{}$
      (2) $(-2)-(+7)=(-2)+(\boxed{})=\boxed{}$

빼는 수의 부호를
바꾸어 더한다.

03 다음을 계산하여라.

(1) $(+6)+(-4)+(-6)$ (2) $(-1)-(-5)-(-3)$

풀이 (1) $(+6)+(-4)+(-6)$
       $=(-4)+(\boxed{})+(-6)$
       $=(-4)+\{(\boxed{})+(-6)\}$
       $=(-4)+\boxed{}=\boxed{}$
    (2) $(-1)-(-5)-(-3)$
       $=(-1)+(+5)+(\boxed{})$
       $=(-1)+\{(+5)+(\boxed{})\}$
       $=(-1)+(\boxed{})=\boxed{}$

※ 덧셈의 계산 법칙
  교환법칙 : $a+b=b+a$
  결합법칙 :
  $(a+b)+c=a+(b+c)$

04 다음을 계산하여라.

(1) $\dfrac{1}{3}-\dfrac{3}{2}+\dfrac{5}{6}$ (2) $\dfrac{1}{2}-2-\dfrac{1}{5}$

풀이 (1) $\dfrac{1}{3}-\dfrac{3}{2}+\dfrac{5}{6}=\left(+\dfrac{1}{3}\right)+\left(-\dfrac{3}{2}\right)+\left(+\dfrac{5}{6}\right)$
               $=\left(+\dfrac{1}{3}\right)+\left(\boxed{}\right)+\left(-\dfrac{3}{2}\right)$
               $=\left(\boxed{}\right)+\left(-\dfrac{3}{2}\right)=\boxed{}$
    (2) $\dfrac{1}{2}-2-\dfrac{1}{5}=\left(+\dfrac{1}{2}\right)+(-2)+\left(-\dfrac{1}{5}\right)$
             $=\left(+\dfrac{1}{2}\right)+\left\{(\boxed{})+\left(-\dfrac{1}{5}\right)\right\}$
             $=\left(+\dfrac{1}{2}\right)+\left(\boxed{}\right)=\boxed{}$

덧셈과 뺄셈이 섞여 있는
계산에서는 뺄셈을 모두
덧셈으로 고친 후 덧셈에
대한 교환법칙과 결합법칙을
이용하여 계산한다.

덧셈의 연산법칙

덧셈에서는 ❶교환법칙과 ❷결합법칙이 성립한다. 이는 3개 이상의 수를 더할 때 ❶ 어떤 순서로 더하거나 ❷ 어느 두 수를 먼저 더하여도 그 결과는
같다는 것을 의미한다.

어떤 교과서에나 나오는 문제

중요도 ☐   손도 못댐 ☐   과정 실수 ☐   틀린 이유:

01 다음을 계산하여라.

(1) $\left(-\dfrac{3}{4}\right)+\left(-\dfrac{1}{2}\right)$

(2) $(-1.5)+\left(+\dfrac{1}{4}\right)$

중요도 ☐   손도 못댐 ☐   과정 실수 ☐   틀린 이유:

02 다음을 계산하여라.

(1) $\left(-\dfrac{5}{4}\right)-\left(-\dfrac{3}{2}\right)$

(2) $\left(+\dfrac{6}{5}\right)-\left(-\dfrac{5}{2}\right)$

중요도 ☐   손도 못댐 ☐   과정 실수 ☐   틀린 이유:

03 다음을 계산하여라.

(1) $3-5$

(2) $-7+2$

(3) $-4-9$

(4) $-5+2$

중요도 ☐ 손도 못댐 ☐ 과정 실수 ☐ 틀린 이유:

04 다음을 계산하여라.

(1) $(+3)+(+7)+(-8)$

(2) $(-6)+(+5)+(-3)$

중요도 ☐ 손도 못댐 ☐ 과정 실수 ☐ 틀린 이유:

05 다음을 계산하여라.

(1) $(+5)-(+7)+(-6)$

(2) $(+3)+(-8)-(-4)$

중요도 ☐ 손도 못댐 ☐ 과정 실수 ☐ 틀린 이유:

06 다음의 ㉠, ㉡에 알맞은 수와 연산법칙을 말하여라.

$(-6)+(+11)+(-4)+(+3)$ ↘ 덧셈의 교환법칙

$=(-6)+(-4)+(\ ㉠\ )+(+3)$ ↘ ㉡

$=\{(-6)+(-4)\}+\{(\ ㉠\ )+(+3)\}$

$=(-10)+(+14)$

$=+4$

중요도 ☐ 손도 못댐 ☐ 과정 실수 ☐ 틀린 이유:

07 다음을 계산하여라.

(1) $-5.1+3.4-2.8$

(2) $-3.2-1.5-\dfrac{1}{5}$

시험에 꼭 나오는 문제

01 다음 수직선이 나타내는 계산식은?

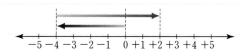

① $(-4)+(+2)$ ② $(+2)-(-4)$
③ $(-4)+(+6)$ ④ $(-4)-(+6)$
⑤ $(+2)-(-6)$

02 다음을 계산하여라.

(1) $\left(+\dfrac{2}{3}\right)-\left(+\dfrac{1}{2}\right)$

(2) $(-0.5)-\left(+\dfrac{3}{4}\right)$

03 다음을 계산하여라.

(1) $-6+2-1$

(2) $3-6+4$

04 다음 중에서 계산 결과가 옳지 <u>않은</u> 것은?

① $(-2)+4=2$
② $-5-(-3)=-2$
③ $8-2+(-4)-(-3)=5$
④ $(-10)-(-2)-7=1$
⑤ $-7+(+3)-5=-9$

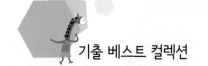

중요도 ☐ 손도 못댐 ☐ 과정 실수 ☐ 틀린 이유:

05 $\left(-\dfrac{1}{3}\right)-\left(-\dfrac{5}{4}\right)+\left(-\dfrac{3}{2}\right)$을 계산하면?

① $-\dfrac{11}{12}$　　② $-\dfrac{7}{12}$　　③ 0

④ $\dfrac{5}{12}$　　⑤ $\dfrac{13}{12}$

중요도 ☐ 손도 못댐 ☐ 과정 실수 ☐ 틀린 이유:

06 $\dfrac{1}{3}$ 보다 $-\dfrac{2}{9}$ 만큼 큰 수는?

① $-\dfrac{1}{2}$　　② 0　　③ $\dfrac{1}{9}$

④ $\dfrac{1}{2}$　　⑤ $\dfrac{5}{9}$

중요도 ☐ 손도 못댐 ☐ 과정 실수 ☐ 틀린 이유:

07 절댓값이 5인 음의 정수와 절댓값이 7인 양의 정수
의 합은?

① -5　　② -2　　③ 0
④ $+2$　　⑤ $+5$

중요도 ☐ 손도 못댐 ☐ 과정 실수 ☐ 틀린 이유:

08 8보다 -5만큼 큰 수를 a, -6보다 2만큼 작은
수를 b라고 할 때, $a-b$의 값을 구하여라.

05 정수와 유리수의 덧셈과 뺄셈

중요도 ☐ 손도 못댐 ☐ 과정 실수 ☐ 틀린 이유:

09 $\dfrac{5}{2}$보다 3만큼 큰 수를 a, $-\dfrac{4}{3}$보다 $-\dfrac{3}{2}$만큼 큰 수를 b라고 할 때, $a+b$의 값을 구하면?

① $-\dfrac{1}{2}$　　② $-\dfrac{7}{2}$　　③ $\dfrac{4}{3}$

④ $\dfrac{8}{3}$　　⑤ $\dfrac{15}{6}$

중요도 ☐ 손도 못댐 ☐ 과정 실수 ☐ 틀린 이유:

10 3보다 -2만큼 작은 수를 A, $\dfrac{1}{2}$보다 $-\dfrac{1}{3}$만큼 큰 수를 B라고 할 때, $A+B$의 값을 구하여라.

중요도 ☐ 손도 못댐 ☐ 과정 실수 ☐ 틀린 이유:

11 다음 중 계산 결과가 가장 큰 것은?

① $(+4)+(-2)$　　② $(+5)-(-6)$
③ $(-8)+(-20)$　　④ $(+2)-(+11)$
⑤ $(-7)-(-16)$

중요도 ☐ 손도 못댐 ☐ 과정 실수 ☐ 틀린 이유:

12 $(-2)+(-6)+(+2)$를 계산하여라.

중요도 ☐ 손도 못댐 ☐ 과정 실수 ☐ 틀린 이유:

13 $(-2)-(-6)-(+9)$를 계산하여라.

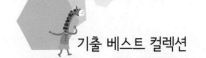
중요도 ☐ 손도 못댐 ☐ 과정 실수 ☐ 틀린 이유:

14 $\dfrac{3}{2} - \dfrac{1}{3} + \dfrac{3}{4} - \dfrac{5}{6}$ 를 계산하여라.

중요도 ☐ 손도 못댐 ☐ 과정 실수 ☐ 틀린 이유:

15 $-2.1 + \dfrac{4}{5} - 2.8 - \dfrac{3}{2}$ 을 계산하여라.

중요도 ☐ 손도 못댐 ☐ 과정 실수 ☐ 틀린 이유:

16 정수 a, b에 대하여 $|a| = 5, |b| = 7$일 때, 다음 중 $a+b$의 값이 될 수 <u>없는</u> 것은?

① -12 ② -2 ③ 0
④ $+2$ ⑤ $+12$

중요도 ☐ 손도 못댐 ☐ 과정 실수 ☐ 틀린 이유:

17 다음의 수 중에서 가장 큰 수를 a, 가장 작은 수를 b라고 할 때, $b-a$의 값을 구하여라.

$$-\dfrac{4}{3}, \ -1.2, \ 0, \ +2, \ \dfrac{11}{6}, \ -\dfrac{3}{2}$$

06 정수와 유리수의 곱셈과 나눗셈

학습목표 • 정수와 유리수의 곱셈과 나눗셈의 원리를 이해하고, 그 계산을 할 수 있다.

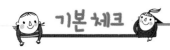 기본 체크

01

다음을 계산하여라.

(1) $(+2) \times (+3)$

(2) $\left(-\dfrac{8}{3}\right) \times \left(-\dfrac{1}{4}\right)$

(3) $(+4) \times (-9)$

(4) $\left(-\dfrac{2}{3}\right) \times \left(+\dfrac{5}{6}\right)$

02

다음을 계산하여라.

(1) $(+4) \div (+2)$

(2) $(-6) \div (-2)$

(3) $(+10) \div (-2)$

(4) $(-12) \div (+3)$

03

다음 식의 계산 순서를 구하여라.

$$\left(+\dfrac{4}{9}\right) \underset{\textstyle\overset{\uparrow}{\text{㉠}}}{\div} \left\{\left(-\dfrac{1}{2}\right) \underset{\textstyle\overset{\uparrow}{\text{㉡}}}{-} \left(\dfrac{2}{3} \underset{\textstyle\overset{\uparrow}{\text{㉢}}}{-} \dfrac{1}{2}\right)\right\} \underset{\textstyle\overset{\uparrow}{\text{㉣}}}{+} \dfrac{1}{2}$$

핵심 정리

✹ 정수와 유리수의 곱셈

(1) 부호가 같은 두 수의 곱셈은 절댓값의 곱에 양의 부호 +를 붙여서 계산한다.

(2) 부호가 다른 두 수의 곱셈은 절댓값의 곱에 음의 부호 −를 붙여서 계산한다.

(3) 어떤 수와 0의 곱은 0이다.

✹ 정수와 유리수의 나눗셈

정수와 유리수의 나눗셈은 나누는 수의 역수를 곱하여 계산한다.
↳ 어떤 수의 곱이 1이 될 때, 한 수를 다른 한 수의 역수라고 한다.

✹ 정수와 유리수의 혼합 계산

덧셈, 뺄셈, 곱셈, 나눗셈이 섞여 있는 식의 경우에는 다음과 같은 순서로 계산한다.

① 거듭제곱이 있으면 거듭제곱을 먼저 계산한다.

② 괄호가 있으면 괄호 안을 먼저 계산한다.

③ 곱셈, 나눗셈을 계산한다.

④ 덧셈, 뺄셈을 계산한다.

대표예제

• 정답 및 풀이 15쪽

01 다음을 계산하여라.

(1) $(-5) \times (-8)$　　　(2) $(-3) \times (+7)$

풀이 (1) $(-5) \times (-8) = \boxed{}(5 \times 8) = \boxed{}$

(2) $(-3) \times (+7) = \boxed{}(3 \times 7) = \boxed{}$

(양수)×(양수)
(음수)×(음수) ⎤ ⊕ (절댓값의 곱)

(양수)×(음수)
(음수)×(양수) ⎤ ⊖ (절댓값의 곱)

02 $(-5) \times (+13) \times (-2) \times (-3)$을 계산하여라.

풀이 $(-5) \times (+13) \times (-2) \times (-3)$

$= (-5) \times (-2) \times (\boxed{}) \times (-3)$

$= \{(-5) \times (-2)\} \times \{(\boxed{}) \times (-3)\}$

$= (+10) \times (\boxed{}) = (\boxed{})$

※ 곱셈의 계산 법칙
세 수 a, b, c에 대하여 다음이 성립한다.
① 교환법칙 : $a \times b = b \times a$
② 결합법칙 : $(a \times b) \times c$
$\qquad = a \times (b \times c)$
③ 분배법칙 :
$a \times (b+c) = a \times b + a \times c$,
$(a+b) \times c = a \times c + b \times c$

03 다음 수의 역수를 구하여라.

(1) $+\dfrac{4}{7}$　　　(2) $-\dfrac{3}{5}$　　　(3) -5　　　(4) -4.7

풀이 (1) $\left(+\dfrac{4}{7}\right) \times \left(\boxed{}\right) = 1$이므로 $+\dfrac{4}{7}$의 역수는 $\boxed{}$

(2) $\left(-\dfrac{3}{5}\right) \times \left(\boxed{}\right) = 1$이므로 $-\dfrac{3}{5}$의 역수는 $\boxed{}$

(3) $(-5) \times \left(\boxed{}\right) = 1$이므로 -5의 역수는 $\boxed{}$

(4) -4.7은 $-\dfrac{47}{10}$이고, $\left(-\dfrac{47}{10}\right) \times \left(\boxed{}\right) = 1$이므로 -4.7의 역수는 $\boxed{}$

두 수의 곱이 1이 되는 경우를 찾는다.

04 다음을 계산하여라.

(1) $\left(-\dfrac{3}{8}\right) \div \left(-\dfrac{6}{5}\right)$　　　(2) $\left(+\dfrac{6}{7}\right) \div \left(-\dfrac{9}{14}\right)$

풀이 (1) $\left(-\dfrac{3}{8}\right) \div \left(-\dfrac{6}{5}\right) = \left(-\dfrac{3}{8}\right) \times \left(\boxed{}\right) = \boxed{}$

(2) $\left(+\dfrac{6}{7}\right) \div \left(-\dfrac{9}{14}\right) = \left(+\dfrac{6}{7}\right) \times \left(\boxed{}\right) = \boxed{}$

역수로 바꾸어도 부호는 바뀌지 않는다.

05 $\left(-\dfrac{4}{5}\right) \times \left(-\dfrac{3}{2}\right)^2 \div \left\{\dfrac{2}{3} - \left(-\dfrac{1}{2}\right)\right\}$을 계산하여라.

풀이 $\left(-\dfrac{4}{5}\right) \times \left(-\dfrac{3}{2}\right)^2 \div \left\{\dfrac{2}{3} - \left(-\dfrac{1}{2}\right)\right\}$

$= \left(-\dfrac{4}{5}\right) \times \left(\boxed{}\right) \div \left\{\dfrac{2}{3} - \left(-\dfrac{1}{2}\right)\right\}$

$= \left(-\dfrac{4}{5}\right) \times \left(\boxed{}\right) \div \left(+\dfrac{7}{6}\right)$

$= \left(-\dfrac{9}{5}\right) \times \left(\boxed{}\right) = \boxed{}$

※ 정수와 유리수의 혼합 계산 순서
① 거듭제곱
② 괄호 : (소괄호)→
　{중괄호} → [대괄호]
③ 곱셈 나눗셈
④ 덧셈 뺄셈

세 수 이상의 수의 곱셈, 거듭제곱

음수의 개수에 따라 그 부호가 결정된다. 즉, 음수가 짝수개 이면 $+$, 음수가 홀수개이면 $-$ 이다.

어떤 교과서에나 나오는 문제

01 다음을 계산하여라.

(1) $\left(+\dfrac{5}{12}\right) \times \left(+\dfrac{3}{10}\right)$

(2) $\left(+\dfrac{7}{8}\right) \times \left(-\dfrac{3}{14}\right)$

02 다음을 계산하여라.

(1) $(+3) \times (+4) \times (-5)$

(2) $(-2) \times (+9) \times (-4)$

(3) $(-7) \times (-5) \times (-2)$

(4) $(-4) \times (+1) \times 0$

03 다음을 계산하여라.

(1) $\left(+\dfrac{4}{3}\right) \times \left(+\dfrac{5}{6}\right) \times (-2)$

(2) $\left(-\dfrac{2}{5}\right) \times \left(-\dfrac{3}{8}\right) \times \left(+\dfrac{4}{3}\right)$

(3) $\left(+\dfrac{2}{7}\right) \times \left(-\dfrac{5}{6}\right) \times \left(-\dfrac{8}{3}\right)$

(4) $\left(-\dfrac{1}{5}\right) \times \left(+\dfrac{5}{12}\right) \times \left(-\dfrac{6}{5}\right)$

04 세 정수 a, b, c에 대하여 $a \times b = 18$, $a \times c = 30$
일 때, $a \times (b+c)$의 값을 구하여라.

05 다음을 계산하여라.

(1) $\left(+\dfrac{5}{6}\right) \div \left(+\dfrac{10}{3}\right)$

(2) $(-3) \div \left(+\dfrac{6}{11}\right)$

06 다음을 계산하여라.

(1) $(+8) \div (+2) \times (-3)$

(2) $(+9) \times 0 \div (+5)$

(3) $(-12) \div (-3) \div (+2)$

(4) $(-10) \div (+5) \div (-2)$

07 다음을 계산하여라.

(1) $(-3) \times (+5) + (-4) \times (-6)$

(2) $(+4) \div (-2) - (+12) \div (-4)$

08 $\left(-\dfrac{2}{3}\right)^2 \div \left\{\left(-\dfrac{1}{2}\right) - \left(\dfrac{2}{3} - \dfrac{1}{2}\right)\right\} + \dfrac{1}{2}$ 을 계

산하여라.

시험에 꼭 나오는 문제

01 중요도 ☐ 손도 못댐 ☐ 과정 실수 ☐ 틀린 이유:

다음을 계산하여라.

(1) $(-4) \times (+12)$

(2) $(-8) \times (-3)$

(3) $(+2) \times (-3) \times (-9)$

(4) $(-4) \times (-5) \times (-8)$

02 중요도 ☐ 손도 못댐 ☐ 과정 실수 ☐ 틀린 이유:

다음의 유리수 중 절댓값이 가장 큰 수와, 절댓값이 가장 작은 수의 곱을 구하여라.

$$-\frac{6}{5}, \quad -\frac{4}{3}, \quad +\frac{5}{4}, \quad +\frac{7}{6}$$

03 중요도 ☐ 손도 못댐 ☐ 과정 실수 ☐ 틀린 이유:

어떤 정수와 그 정수의 절댓값의 곱이 -16일 때, 이 정수를 구하여라.

04 중요도 ☐ 손도 못댐 ☐ 과정 실수 ☐ 틀린 이유:

다음 ㉠, ㉡, ㉢에 사용된 계산 법칙을 말하여라.

$(-12) \times (+5) \times \left\{\left(-\frac{2}{3}\right) + \left(-\frac{1}{2}\right)\right\}$ ㉠

$= (+5) \times (-12) \times \left\{\left(-\frac{2}{3}\right) + \left(-\frac{1}{2}\right)\right\}$ ㉡

$= (+5) \times \left[(-12) \times \left\{\left(-\frac{2}{3}\right) + \left(-\frac{1}{2}\right)\right\}\right]$ ㉢

$= (+5) \times \left\{(-12) \times \left(-\frac{2}{3}\right) + (-12) \times \left(-\frac{1}{2}\right)\right\}$

$= (+5) \times \{(+8) + (+6)\} = +70$

05 세 유리수 a, b, c에 대하여 $a \times (b+c) = -420$이고, $a \times c = 13$일 때, $a \times b$의 값은?

① 0   ② -12 ③ -21

④ -29 ⑤ -55

06 분배법칙을 이용하여 다음을 계산하여라.

$$4.25 \times 1927 + 4.25 \times (-927)$$

07 다음을 계산하여라.

(1) $\left(-\dfrac{8}{3}\right) \div (-4)$

(2) $(-2) \div \left(+\dfrac{2}{5}\right)$

(3) $\left(+\dfrac{3}{14}\right) \div \left(-\dfrac{4}{7}\right)$

(4) $\left(+\dfrac{5}{12}\right) \div \left(+\dfrac{10}{3}\right)$

08 절댓값이 30인 수 중에서 작은 수를 a, 절댓값이 5인 수 중에서 큰 수를 b라고 할 때, $a \div b$의 값을 구하여라.

09 두 수 a, b에 대하여 $a > 0$, $b < 0$일 때, 다음 중 항상 양수인 것은?

① $a+b$ ② $-a+b$ ③ $a-b$

④ $a \times b$ ⑤ $a \div b$

10 두 유리수 a, b에 대하여 $a<0$, $b>0$일 때, 다음 중 항상 음수인 것은?

① $a+b$ ② $-a+b$ ③ $2 \times a \times \dfrac{1}{b}$

④ $-a \div b$ ⑤ $-\dfrac{1}{a} \times \dfrac{1}{b}$

11 -4의 역수를 a, $-\dfrac{12}{5}$의 역수를 b라고 할 때, $a \div b$의 값을 구하여라.

12 $\dfrac{2}{5}$의 역수를 a, $-\dfrac{6}{7}$의 역수를 b라고 할 때, $(-a) \div b$의 값을 구하면?

① $\dfrac{1}{7}$ ② $\dfrac{3}{7}$ ③ $\dfrac{5}{7}$

④ $\dfrac{10}{7}$ ⑤ $\dfrac{15}{7}$

13 다음의 두 조건을 만족하는 두 유리수 a, b에 대하여 $a \div b$의 값을 구하여라.

> (가) $\dfrac{a}{8}$의 역수가 $\dfrac{8}{9}$이다.
>
> (나) $-\dfrac{4}{b}$의 역수가 $-\dfrac{11}{4}$이다.

14 중요도 ☐ 손도 못댐 ☐ 과정 실수 ☐ 틀린 이유:

5보다 8만큼 작은 수를 a, -7보다 9만큼 큰 수를 b, 2보다 -6만큼 작은 수를 c라고 할 때, $a \times b \div c$의 값을 구하여라.

15 중요도 ☐ 손도 못댐 ☐ 과정 실수 ☐ 틀린 이유:

다음 두 식의 계산 결과가 같다고 한다. ☐ 안에 알맞은 수를 구하여라.

$$-\frac{4}{9} \div \left(-\frac{1}{3}\right) \times (-2), \quad \boxed{} \div \frac{5}{4}$$

16 중요도 ☐ 손도 못댐 ☐ 과정 실수 ☐ 틀린 이유:

$(-2) \times \{(+15) - (-3)\} \div (-6)$을 계산하여라.

17 중요도 ☐ 손도 못댐 ☐ 과정 실수 ☐ 틀린 이유:

다음을 계산하여라.

$$7 - [\{4 - (5-6)^5\} - (-2)^3]$$

18 중요도 ☐ 손도 못댐 ☐ 과정 실수 ☐ 틀린 이유:

다음을 계산하여라.

$$\left(-\frac{3}{4}\right) \times \left[\left\{\left(-\frac{1}{3}\right)^2 + (-1)\right\} \div \left(-\frac{1}{6}\right) + 1\right]$$

단원종합문제 [04~06]

01　중요도 ☐　손도 못댐 ☐　과정 실수 ☐　틀린 이유:

다음 중 정수가 아닌 유리수를 모두 고르면? (정답 2개)

① -2　　　　② $+1.5$　　　　③ $-\dfrac{4}{5}$

④ 0　　　　　⑤ $+\dfrac{8}{2}$

02　중요도 ☐　손도 못댐 ☐　과정 실수 ☐　틀린 이유:

다음 설명 중 옳지 않은 것은?

① 모든 정수는 유리수이다.
② 음의 정수 중에 가장 큰 수는 -1이다.
③ 0은 유리수가 아니다.
④ 절댓값이 가장 작은 수는 0이다.
⑤ 수직선에서 -5보다 -4가 오른쪽에 있다.

03　중요도 ☐　손도 못댐 ☐　과정 실수 ☐　틀린 이유:

다음 중 수직선 위에 나타낼 때, 원점으로부터 거리가 가장 먼 것은?

① $+1$　　　　② -0.4　　　　③ -8

④ $-\dfrac{23}{2}$　　　⑤ $+\dfrac{40}{5}$

04　중요도 ☐　손도 못댐 ☐　과정 실수 ☐　틀린 이유:

다음 중 $-5 < x \le 2$인 정수가 아닌 것을 모두 고르면?
(정답 2개)

① -8　　　　② -3　　　　③ 0

④ $\dfrac{1}{2}$　　　　⑤ 2

05　중요도 ☐　손도 못댐 ☐　과정 실수 ☐　틀린 이유:

절댓값이 같고 부호가 반대인 두 정수 a, b에 대하여 $a - b = 10$이라고 한다. 이때, a의 값을 구하여라.

06　중요도 ☐　손도 못댐 ☐　과정 실수 ☐　틀린 이유:

다음 중에서 대소 관계가 옳은 것은?

① $-3 < -9$　　　　　② $+2 < -3$

③ $-0.8 < 0$　　　　　④ $|-4| > |-5|$

⑤ $-0.2 < -\dfrac{1}{2}$

07　중요도 ☐　손도 못댐 ☐　과정 실수 ☐　틀린 이유:

다음 설명 중 옳지 않은 것은?

① 1은 가장 작은 양의 정수이다.
② 절댓값이 가장 작은 수는 0이다.
③ 자연수는 정수이면서 유리수이다.
④ 두 음수에서는 절댓값이 큰 수가 크다.
⑤ 절댓값이 5인 정수는 $+5$, -5이다.

08 중요도 ☐ 손도 못댐 ☐ 과정 실수 ☐ 틀린 이유:

수직선에서 두 정수 a, b에 대응하는 두 점 사이의 거리가 10이고, 한가운데 있는 점에 대응하는 수가 -2일 때, $-a-b$의 값을 구하면? (단, $a>b$)

① 1   ② 2   ③ 3
④ 4   ⑤ 5

09 중요도 ☐ 손도 못댐 ☐ 과정 실수 ☐ 틀린 이유:

두 유리수 $-\dfrac{11}{5}$과 $\dfrac{11}{3}$ 사이에 있는 모든 정수의 개수를 구하여라.

10 중요도 ☐ 손도 못댐 ☐ 과정 실수 ☐ 틀린 이유:

x가 $-\dfrac{7}{2}$ 이상이고, $+3.16$ 미만일 때, x가 될 수 있는 정수의 개수를 구하여라.

11 중요도 ☐ 손도 못댐 ☐ 과정 실수 ☐ 틀린 이유:

다음 중 계산 결과가 <u>다른</u> 하나는?

① $(+2)-(-3)$ ② $(-4)+(+11)$
③ $(-5)-(-12)$ ④ $(+13)+(-6)$
⑤ $(+21)-(+14)$

12 중요도 ☐ 손도 못댐 ☐ 과정 실수 ☐ 틀린 이유:

수직선에서 $\dfrac{18}{5}$에 가장 가까운 정수를 x, $-\dfrac{12}{7}$에 가장 가까운 정수를 y라고 할 때, $|x-y|$의 값은?

① 0   ② 2   ③ 4
④ 6   ⑤ 8

13 중요도 ☐ 손도 못댐 ☐ 과정 실수 ☐ 틀린 이유:

$\dfrac{5}{4}+\left(-\dfrac{2}{3}\right)-\left(-\dfrac{1}{6}\right)$을 계산하면?

① $+\dfrac{5}{2}$ ② $-\dfrac{1}{3}$ ③ $+\dfrac{3}{4}$
④ $+\dfrac{7}{6}$ ⑤ $+\dfrac{11}{12}$

14 중요도 ☐ 손도 못댐 ☐ 과정 실수 ☐ 틀린 이유:

두 정수 a, b에 대하여 $|a|=|b|$이고, $a\times b<0$이다. $a-b=-12$일 때, a의 값을 구하면?

① -6 ② -3 ③ 0
④ 3   ⑤ 6

15 중요도 ☐ 손도 못댐 ☐ 과정 실수 ☐ 틀린 이유:

다음 중 가장 큰 수는?

① $(-1)^7$ 　　② $(-2)^5$ 　　③ $(-3)^3$

④ -2^4 　　　⑤ $(-1)^2$

16 중요도 ☐ 손도 못댐 ☐ 과정 실수 ☐ 틀린 이유:

두 유리수 a, b에 대하여 $a+b<0$, $a\times b>0$일 때, 다음 중 옳은 것을 고르면?

① $a>0$, $b>0$ 　② $a>0$, $b<0$ 　③ $a<0$, $b>0$

④ $a<0$, $b<0$ 　⑤ $a=0$, $b<0$

17 중요도 ☐ 손도 못댐 ☐ 과정 실수 ☐ 틀린 이유:

$(-1)^{2018}+(-1)^{2019}+(-1)^{2020}$을 계산하면?

① 2 　　　　② 1 　　　　③ 0

④ -1 　　　⑤ -2

18 중요도 ☐ 손도 못댐 ☐ 과정 실수 ☐ 틀린 이유:

$1\dfrac{3}{4}$의 역수를 a, -1.2의 역수를 b라고 할 때, $a+b$의 값은?

① $-\dfrac{7}{2}$ 　　② $\dfrac{6}{13}$ 　　③ $-\dfrac{9}{17}$

④ $\dfrac{8}{21}$ 　　　⑤ $-\dfrac{11}{42}$

19 중요도 ☐ 손도 못댐 ☐ 과정 실수 ☐ 틀린 이유:

세 유리수 a, b, c에 대하여 $a\times(b+c)=15$, $a\times b=5$일 때, $a\times c$의 값을 구하여라.

20 중요도 ☐ 손도 못댐 ☐ 과정 실수 ☐ 틀린 이유:

두 유리수 a, b에 대하여 $a<b$, $a+b>0$, $a\times b<0$일 때, 다음 중 가장 큰 수는?

① a 　　　　② b 　　　　③ $-a$

④ $-b$ 　　　⑤ $b-a$

21　중요도 ☐　손도 못댐 ☐　과정 실수 ☐　틀린 이유:

$\left(-\dfrac{2}{3}\right) \times (-6) \div \left\{\dfrac{1}{2} - \left(-\dfrac{3}{4}\right)\right\}$을 계산하면?

① $\dfrac{1}{5}$　　　② $\dfrac{3}{5}$　　　③ $\dfrac{11}{5}$

④ $\dfrac{16}{5}$　　　⑤ $\dfrac{21}{5}$

22　중요도 ☐　손도 못댐 ☐　과정 실수 ☐　틀린 이유:

다음을 계산하여라.

$$\left(-\dfrac{2}{3}\right) \times \left(-\dfrac{5}{6}\right) \div \left(+\dfrac{10}{27}\right) - 1$$

23　중요도 ☐　손도 못댐 ☐　과정 실수 ☐　틀린 이유:

$(-3)^2 \times \left(-\dfrac{2}{3}\right) + (-25) \div \left(+\dfrac{5}{2}\right)$를 계산하면?

① -16　　　② -8　　　③ 0

④ 8　　　⑤ 16

24　중요도 ☐　손도 못댐 ☐　과정 실수 ☐　틀린 이유:

다음의 수를 구하여라.

> -4보다 2만큼 작은 수와 -2보다 7만큼 큰 수의 곱을 -3보다 -5만큼 큰 수로 나눈 수

25　중요도 ☐　손도 못댐 ☐　과정 실수 ☐　틀린 이유:

다음을 계산하여라.

$$2 \times \left\{\left(-\dfrac{1}{3}\right) \times \dfrac{9}{10} - \dfrac{4}{5} \div \left(-\dfrac{8}{7}\right)\right\}$$

26　중요도 ☐　손도 못댐 ☐　과정 실수 ☐　틀린 이유:

다음의 식을 계산하고 그 결과의 역수를 구하여라.

$$\left(-\dfrac{2}{3}\right) \times \left(-\dfrac{1}{2}\right)^3 \div \left\{\left(-\dfrac{1}{5}\right) - \left(-\dfrac{2}{3}\right)\right\}$$

07 문자의 사용과 식의 값

학습목표 • 다양한 상황을 문자를 사용한 식으로 간단히 나타낼 수 있다.
• 식의 값을 구할 수 있다.

기본 체크

01

다음을 문자를 사용한 식으로 나타내어라.

(1) 현재 a살인 학생의 5년 후의 나이
(2) 한 변의 길이가 b인 정사각형의 둘레의 길이
(3) 한 문제에 2점인 문제 x개를 맞혔을 때의 점수
(4) 5개에 y원인 연필 1개의 가격

02

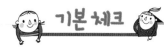

다음 식을 기호 $\times$, $\div$를 생략하여 나타내어라.

(1) $3 \times a$　　　　(2) $(c-1) \times (-2)$
(3) $6 \times d - 4 \div e$　　(4) $(z-1) \div c \div b$

03

$a = 2$일 때, 다음 식의 값을 구하여라.

(1) $a - 1$　　　　(2) a^2
(3) $3a - 3$　　　　(4) $-a + 2$

핵심 정리

✤ 곱셈 기호의 생략

(1) 수와 문자 사이의 곱에서는 곱셈 기호 $\times$를 생략하고 수를 문자 앞에 쓴다.
(2) 문자와 문자 사이의 곱에서는 곱셈 기호 $\times$를 생략하고 알파벳 순서로 쓴다. 이때, 같은 문자의 곱은 거듭제곱의 꼴로 나타낸다.
(3) 괄호가 있는 곱셈에서는 곱셈 기호 $\times$를 생략하고 곱해지는 수는 괄호 앞에 쓴다.

예 (1) $2 \times x = 2x$, $y \times (-3) = -3y$
(2) $a \times 5 \times b \times c = 5abc$, $a \times a \times b \times b \times b = a^2 \times b^3$
(3) $(x-y) \times 4 = 4(x-y)$

✤ 나눗셈 기호의 생략

(1) 나눗셈 기호 $\div$를 생략하고 분수의 꼴로 나타낸다.
(2) 나눗셈 기호 $\div$를 생략할 때에는 역수를 이용하여 곱셈으로 바꾼 후 곱셈 기호 $\times$를 생략한다.

예 $2x \div (-3) = -\dfrac{2x}{3}$ 또는 $-\dfrac{2}{3}x$

✤ 식의 값 구하기

(1) 주어진 식에서 생략된 곱셈 기호 $\times$, 나눗셈 기호 $\div$를 다시 쓴다.
(2) 문자에 주어진 수를 대입하여 계산한다.

예 $x = \dfrac{1}{5}$, $y = -1$일 때, $5x + 2y$의 값

$5x + 2y = 5 \times \dfrac{1}{5} + 2 \times (-1)$ ← $x = \dfrac{1}{5}$, $y = -1$ 대입
　　　　$= 1 + (-2) = -1$

대표예제

• 정답 및 풀이 19쪽

01 다음을 문자를 사용한 식으로 나타내어라.

(1) 시속 b km로 3시간 동안 간 거리
(2) 원가가 c원인 제품에 11 %의 이윤을 붙여서 팔 때의 정가
(3) 8 km의 거리를 시속 y km로 걸을 때, 걸린 시간
(4) 한 개에 z원인 과자를 2개 사고 10000원을 냈을 때, 거스름돈

풀이 (1) (거리)=(속력)×(시간)이므로 $3\times\boxed{}$ (km)

(2) (정가)=(원가)+(이윤)이므로

$$\boxed{}+c\times\frac{11}{100}=c+\boxed{}\text{(원)}$$

(3) (시간)=$\dfrac{\text{(거리)}}{\text{(속력)}}$이므로 $\boxed{}$ (시간)

(4) (거스름돈)=(지불금액)−(물건의 값)이므로

$$10000-\boxed{}\times2=10000-\boxed{}\text{(원)}$$

문자를 사용한 식에 자주 쓰이는 식

(1) (속력)=$\dfrac{\text{(거리)}}{\text{(시간)}}$,

(거리)=(속력)×(시간),

(시간)=$\dfrac{\text{(거리)}}{\text{(속력)}}$

(2) (정가)=(원가)+(이윤),

(할인가)=(정가)−(할인금액)

(3) (거스름돈)

=(지불금액)−(물건값)

02 다음 식을 기호 ×, ÷를 생략하여 나타내어라.

(1) $-2\times c\times a$ (2) $0.1\times(x+y)\times a$

풀이 (1) $-2\times c\times a=\boxed{}a\boxed{}$

(2) $0.1\times(x+y)\times a=\boxed{}(x+y)$

0.1, 0.01, …과 같은 소수와 문자의 곱에서는 1을 생략하지 않는다.

03 다음을 곱셈, 나눗셈 기호를 생략하여 나타내어라.

(1) $3\div x\times y$ (2) $5\div x\div y$

풀이 (1) $3\div x\times y=3\times\boxed{}\times y=\dfrac{3y}{\boxed{}}$

(2) $5\div x\div y=5\times\boxed{}\times\dfrac{1}{y}=\dfrac{5}{\boxed{}}$

나눗셈을 역수의 곱셈으로 바꾸어 기호를 생략한다.

04 $x=-2$일 때, 다음 식의 값을 구하여라.

(1) $3x+1$ (2) $4x^2$

(3) $-5x-2$ (4) $-x^2+3$

풀이 (1) $3x+1=3\times(\boxed{})+1=\boxed{}+1=\boxed{}$

(2) $4x^2=4\times(\boxed{})^2=4\times\boxed{}=\boxed{}$

(3) $-5x-2=-5\times(\boxed{})-2=\boxed{}-2=\boxed{}$

(4) $-x^2+3=-(\boxed{})^2+3=-\boxed{}+3=\boxed{}$

음수를 대입할 때에는 괄호를 사용한다.

05 $x=2$, $y=-3$일 때, 다음 식의 값을 구하여라.

(1) $2x+y$ (2) $\dfrac{6}{x}-\dfrac{12}{y}$

풀이 (1) $2x+y=2\times\boxed{}+(\boxed{})=\boxed{}+(\boxed{})=\boxed{}$

(2) $\dfrac{6}{x}-\dfrac{12}{y}=\dfrac{6}{\boxed{}}-\dfrac{12}{\boxed{}}=\boxed{}+\boxed{}=\boxed{}$

문자를 이용하여 식을 나타낼 때 자주 사용되는 문자

길이(length) : l, 높이(height) : h, 넓이(square) : S, 부피(volume) : V,

시간(time) : t, 거리(distance) : d, 질량(mass) : m, 반지름(radius) : r

어떤 교과서에나 나오는 문제

중요도 ☐ 손도 못댐 ☐ 과정 실수 ☐ 틀린 이유:

01 다음을 문자를 사용한 식으로 나타내어라.

(1) x의 3배에 7을 더한 값

(2) 한 자루에 a원 하는 연필 5자루와 한 권에 500원 하는 공책 3권을 산 금액

(3) x로 나누었을 때, 몫이 3이고, 나머지가 y인 수

중요도 ☐ 손도 못댐 ☐ 과정 실수 ☐ 틀린 이유:

02 다음 식을 기호 $\times$, $\div$를 생략하여 나타내어라.

(1) $b \times a \times b \times (-0.1)$

(2) $c \times (-5) \times b \times a$

중요도 ☐ 손도 못댐 ☐ 과정 실수 ☐ 틀린 이유:

03 다음 중 $\dfrac{a+b}{xy}$를 기호 $\times$, $\div$를 사용하여 옳게 나타낸 것은?

① $(a+b) \div x \div y$ ② $(a+b) \div x \times y$

③ $a+b \div x \times y$ ④ $a+b \times x \div y$

⑤ $a+b \div x \div y$

중요도 ☐ 손도 못댐 ☐ 과정 실수 ☐ 틀린 이유:

04 다음 중 $a \times b \div c \times (x \div y)$와 같은 것은?

① $\dfrac{abc}{xy}$ ② $\dfrac{acy}{bc}$ ③ $\dfrac{acx}{by}$

④ $\dfrac{abx}{cy}$ ⑤ $\dfrac{ay}{bcx}$

중요도 ☐ 손도 못댐 ☐ 과정 실수 ☐ 틀린 이유:

05 다음 식을 곱셈 기호 $\times$, 나눗셈 기호 $\div$를 생략하여 간단히 나타내어라.

(1) $a \times (-3) \div b$

(2) $1 - (x+1) \div 3$

(3) $a \times 3 \div (-2)$

06 $x=2$일 때, 다음 식의 값을 구하여라.

중요도 ☐ 손도 못댐 ☐ 과정 실수 ☐ 틀린 이유:

(1) $\dfrac{1-5x}{3}$

(2) x^2+3x-5

07 $a=-3$일 때, 다음 중 식의 값이 가장 큰 것은?

중요도 ☐ 손도 못댐 ☐ 과정 실수 ☐ 틀린 이유:

① $\dfrac{1}{a}+1$ ② $3a-1$ ③ $2a^2$

④ $2-5a$ ⑤ $(-a)^3$

08 $a=1$, $b=-2$일 때, 다음 중 식의 값이 <u>다른</u> 하나는?

중요도 ☐ 손도 못댐 ☐ 과정 실수 ☐ 틀린 이유:

① a^2+b^2 ② $a-2b$ ③ $3a-b$

④ $a+(-b)^2$ ⑤ $\dfrac{8a+b}{2}$

09 $a=-2$, $b=\dfrac{1}{4}$일 때, a^2-2ab의 값은?

중요도 ☐ 손도 못댐 ☐ 과정 실수 ☐ 틀린 이유:

① 1 ② 2 ③ 3
④ 4 ⑤ 5

10 가로의 길이가 a cm, 세로의 길이가 b cm, 높이가 c cm인 직육면체에 대하여 다음을 구하여라.

중요도 ☐ 손도 못댐 ☐ 과정 실수 ☐ 틀린 이유:

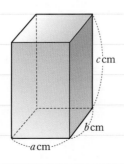

(1) 직육면체의 부피를 구하는 식

(2) $a=3$, $b=2$, $c=5$일 때, 직육면체의 부피

시험에 꼭 나오는 문제

중요도 ☐ 손도 못댐 ☐ 과정 실수 ☐ 틀린 이유:

01 다음을 문자를 사용한 식으로 나타내어라.

(1) 가로의 길이가 a cm, 세로의 길이가 b cm인 직사각형의 넓이

(2) 한 시간에 85 km를 달리는 자동차가 x시간 동안 달린 거리

(3) x원 짜리 물건을 20 % 할인 받은 가격

중요도 ☐ 손도 못댐 ☐ 과정 실수 ☐ 틀린 이유:

02 500원짜리 동전 x개와 100원짜리 동전 y개의 전체 금액을 문자를 사용한 식으로 나타낸 것은?

① $5x+10y$ 　② $500x+100y$

③ $x+5y$ 　④ $500(x+y)$

⑤ $(500+100)xy$

중요도 ☐ 손도 못댐 ☐ 과정 실수 ☐ 틀린 이유:

03 12에서 3을 뺀 수를 A, 8에 2를 곱한 수에 3을 더한 수를 B라고 할 때, $A+B$의 값은?

① 25 　② 26 　③ 27

④ 28 　⑤ 29

중요도 ☐ 손도 못댐 ☐ 과정 실수 ☐ 틀린 이유:

04 정가가 1500원인 물건을 a % 할인하여 판매하려고 한다. 이때, 판매 금액을 a를 사용하여 식으로 나타내어라.

• 정답 및 풀이 20쪽

중요도 ☐ 손도 못댐 ☐ 과정 실수 ☐ 틀린 이유:

05 다음 ☐ 안에 알맞은 것을 순서대로 써넣어라.

(1) $5 \times x \div y = \boxed{} \times \dfrac{1}{y} = \dfrac{5x}{\boxed{}}$

(2) $2 \div a \div b = 2 \times \dfrac{1}{a} \times \boxed{} = \dfrac{2}{\boxed{}}$

중요도 ☐ 손도 못댐 ☐ 과정 실수 ☐ 틀린 이유:

06 다음 중 옳은 것은?

① $a \div b \times 2 = \dfrac{ab}{2}$

② $2 \times (x+y) \div 3 = \dfrac{3x+3y}{2}$

③ $a \times a \times a \div 3 = a$

④ $(x+y) \div y = \dfrac{x}{y} + 1$

⑤ $a \div (b+c) = \dfrac{b+c}{a}$

중요도 ☐ 손도 못댐 ☐ 과정 실수 ☐ 틀린 이유:

07 다음 중 계산 결과가 $\dfrac{(a-b)y}{x}$ 와 같은 것은?

① $(a-b) \times x \div y$ 　 ② $a-b \div x \div y$

③ $a \div x - b \div y$ 　 ④ $(a-b) \div x \times y$

⑤ $(a-b) \div x \div y$

중요도 ☐ 손도 못댐 ☐ 과정 실수 ☐ 틀린 이유:

08 $a = -2$일 때, 다음 중 식의 값이 가장 큰 것은?

① $a+2$ 　 ② $\dfrac{2}{a}$ 　 ③ $-a$

④ $3a-1$ 　 ⑤ a^2-4

중요도 ☐ 손도 못댐 ☐ 과정 실수 ☐ 틀린 이유:

09 $x=\dfrac{3}{2}$, $y=-\dfrac{2}{3}$일 때, $\dfrac{3}{x}+\dfrac{2}{y}$의 값은?

① $-\dfrac{11}{6}$ ② -1 ③ 1

④ $\dfrac{27}{6}$ ⑤ 5

중요도 ☐ 손도 못댐 ☐ 과정 실수 ☐ 틀린 이유:

10 $x=-\dfrac{2}{3}$일 때, $3(2x+5)+5(-3x+1)$의 값을 구하여라.

중요도 ☐ 손도 못댐 ☐ 과정 실수 ☐ 틀린 이유:

11 $a=-\dfrac{1}{2}$, $b=3$일 때, 다음 식의 값을 구하여라.

(1) $2ab$ (2) $2a^2+2b^2$

중요도 ☐ 손도 못댐 ☐ 과정 실수 ☐ 틀린 이유:

12 $x=-\dfrac{2}{3}$일 때, $9x^2-3x$의 값은?

① $\dfrac{16}{3}$ ② 6 ③ $\dfrac{20}{3}$

④ $\dfrac{22}{3}$ ⑤ 8

중요도 ☐ 손도 못댐 ☐ 과정 실수 ☐ 틀린 이유:

13 지면에서 초속 60 m로 똑바로 던져 올린 물체의 t초 후의 속력은 초속 $(60-9.8t)$ m라 한다. 던져 올린 후 5초가 지났을 때, 물체의 속력을 구하여라.

중요도 ☐ 손도 못댐 ☐ 과정 실수 ☐ 틀린 이유:

14 가로, 세로의 길이가 각각 20 cm, a cm인 직사각형 모양의 종이가 있다. 이것의 네 모퉁이에서 각각 한 변의 길이가 3 cm인 정사각형을 잘라내고, 남은 부분으로 뚜껑이 없는 직육면체 모양의 상자를 만들 때, 상자의 부피를 문자를 사용한 식으로 나타내어라.

중요도 ☐ 손도 못댐 ☐ 과정 실수 ☐ 틀린 이유:

15 다음 식에서 ☐ 안에 공통으로 들어갈 알맞은 수를 구하여라.

$$(6x+\boxed{})\div\boxed{}=3x+1$$

중요도 ☐ 손도 못댐 ☐ 과정 실수 ☐ 틀린 이유:

16 $a=-2$일 때, 다음 중 값이 <u>다른</u> 것은?

① $-a^3$ ② $2a^2$ ③ $(-a)^3$
④ a^3 ⑤ -2^2a

중요도 ☐ 손도 못댐 ☐ 과정 실수 ☐ 틀린 이유:

17 윗변의 길이가 x cm, 아랫변의 길이가 y cm, 높이가 h cm인 사다리꼴의 넓이를 S cm^{2}라고 할 때, S를 문자로 사용한 식으로 나타내고 $x=5, y=7, h=4$일 때, S의 값을 구하여라.

중요도 ☐ 손도 못댐 ☐ 과정 실수 ☐ 틀린 이유:

18 어떤 수 x의 2배보다 3이 작은 수가 있다. $x=9$일 때의 값은?

① 7   ② 9   ③ 11
④ 13   ⑤ 15

08 일차식과 그 계산

기본 체크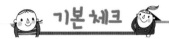

01

다음 다항식에 대하여 빈칸에 알맞은 것을 써넣어라.

	항의 개수	상수항	다항식의 차수	일차항의 계수
$-2x+3$				
$\frac{1}{3}y-1$				
$3a^2-4a+6$				

02

다음 식을 기호 $\times$, $\div$를 생략하여 나타내어라.

(1) $5x \times (-2)$ (2) $-4x \times 3$

(3) $6x \div (-3)$ (4) $\frac{2}{5}x \div \frac{4}{15}$

03

다음 중에서 동류항인 것을 말하여라.

① $5x$ ② $2y^3$ ③ $-2a^2$ ④ $-y^2$

⑤ $-3x$ ⑥ $\frac{b}{2}$ ⑦ $-3b$ ⑧ a^2

핵심 정리

🌀 일차식과 수의 곱셈과 나눗셈

(1) (수)×(단항식), (단항식)×(수) : 수끼리 곱하여 문자 앞에 쓴다.

(2) (수)×(일차식): 분배법칙을 이용하여 일차식의 각 항에 수를 곱한다.

(3) (일차식)÷(수): 분배법칙을 이용하여 나누는 수의 역수를 각 항에 곱한다.

🌀 일차식의 덧셈과 뺄셈

(1) 일차식의 덧셈

① 괄호가 있으면 분배법칙을 이용하여 괄호를 푼다.
② 동류항끼리 모아서 계산한다.
↳문자와 차수가 모두 같은 항

(2) 일차식의 뺄셈

빼는 식의 각 항의 부호를 덧셈으로 고쳐서 계산한다.

※ • 항 : 수 또는 문자의 곱으로 이루어진 식
  • 상수항 : 수만으로 이루어진 항
  • 계수 : 수와 문자의 곱으로 이루어진 항에서 문자 앞에 곱해진 수
  • 다항식 : 하나 또는 몇 개의 항의 합으로 이루어진 식
  • 단항식 : 하나의 항으로만 이루어진 식
  • 항의 차수 : 어떤 항에서 곱해진 문자의 개수
  • 다항식의 차수 : 다항식에서 차수가 가장 높은 항의 차수
  • 일차식 : 차수가 1인 다항식

대표예제

• 정답 및 풀이 21쪽

01 다음 식을 계산하여라.

(1) $2x \times 5$ (2) $(-3x) \div 7$

풀이 (1) $2x \times 5 = 2 \times \boxed{} \times x = \boxed{}$

(2) $(-3x) \div 7 = (-3x) \times \boxed{} = (-3) \times \boxed{} \times x = \boxed{}$

수끼리 먼저 계산하여 문자 앞에 쓴다.

02 다음 식을 계산하여라.

(1) $2(3x-1)$　　　　　　　　　(2) $-2(5x-3)$

풀이 (1) $2(3x-1)=2\times\boxed{}+2\times(\boxed{})=\boxed{}$
(2) $-2(5x-3)=-2\times\boxed{}-2\times(\boxed{})=\boxed{}$

분배법칙을 이용하여 괄호를 풀 때, 일차식의 각 항에 괄호 앞의 수를 곱한다.

03 다음 식을 계산하여라.

(1) $(-9x+6)\div\dfrac{3}{2}$　　　　　(2) $\dfrac{2x-9}{-6}$

풀이 (1) $(-9x+6)\div\dfrac{3}{2}=(-9x+6)\times\boxed{}=-9x\times\boxed{}+6\times\boxed{}=\boxed{}$
(2) $\dfrac{2x-9}{-6}=\dfrac{2x}{\boxed{}}-\dfrac{9}{\boxed{}}=\boxed{}$

나눗셈을 곱셈으로 바꾸어 계산한다.

04 다음을 계산하여라.

(1) $2a+(3a-1)$　　　　　　　(2) $(4b-3)-(7b-5)$
(3) $2(3x-1)-(x-7)$　　　　　(4) $2(y-4)-5(y-3)$

풀이 (1) $2a+(3a-1)=2a+\boxed{}-\boxed{}=\boxed{}$
(2) $(4b-3)-(7b-5)=4b-3-\boxed{}+\boxed{}=\boxed{}$
(3) $2(3x-1)-(x-7)=6x-\boxed{}-x+\boxed{}=\boxed{}$
(4) $2(y-4)-5(y-3)=2y-\boxed{}-5y+\boxed{}=\boxed{}$

일차식의 덧셈과 뺄셈은 분배법칙을 이용하여 괄호를 푼 다음, 동류항끼리 더하거나 뺀다.

05 $-2(3x+1)+\dfrac{1}{3}(15x-9)$를 계산하였을 때, x의 계수를 a, 상수항을 b라고 한다. 이때, ab의 값을 구하여라.

풀이 식을 계산하면
$-2(3x+1)+\dfrac{1}{3}(15x-9)$
$=(-6x-2)+(\boxed{})$
$=-6x-2+\boxed{}-\boxed{}=\boxed{}$
따라서, $a=\boxed{}$, $b=\boxed{}$이므로 $ab=\boxed{}$

괄호 앞에 $-$가 있으면 $-$를 괄호 안의 모든 항에 곱해 주어야 한다.

 일차식과 수의 계산

(일차식)×(수)의 계산은 분배법칙을 이용하여 계산하고, (일차식)÷(수)의 계산은 나누는 수의 역수의 곱의 꼴로 고친 후 분배법칙을 이용하여 계산한다.

어떤 교과서에나 나오는 문제

01 다항식 $2x^2+5x-3$에 대하여 다음 ☐ 안에 알맞은 수를 써넣어라.

중요도 ☐ 손도 못댐 ☐ 과정 실수 ☐ 틀린 이유:

(1) 항은 ☐개이다.

(2) 상수항은 ☐이다.

(3) x의 계수는 ☐이다.

(4) 다항식의 차수는 ☐이다.

02 다항식 $2x-3$에 대한 설명 중 옳은 것은?

중요도 ☐ 손도 못댐 ☐ 과정 실수 ☐ 틀린 이유:

① 항은 1개이다.

② 이차식이다.

③ 상수항은 3이다.

④ x의 계수는 2이다.

⑤ $x=3$일 때, 식의 값은 9이다.

03 다항식 $3x^2+x-4$에서 x의 계수를 a, 다항식의 차수를 b, 상수항을 c라고 할 때, $a+b+c$의 값은?

중요도 ☐ 손도 못댐 ☐ 과정 실수 ☐ 틀린 이유:

① -3 ② -1 ③ 1

④ 2 ⑤ 4

04 다음 〈보기〉 중 일차식은 모두 몇 개인가?

중요도 ☐ 손도 못댐 ☐ 과정 실수 ☐ 틀린 이유:

> **보기**
>
> ㄱ. -2 ㄴ. $2x+3$
>
> ㄷ. $4-x$ ㄹ. $-\dfrac{2}{3}x+2$
>
> ㅁ. x^2-2 ㅂ. $x+5-x$

① 1개 ② 2개 ③ 3개

④ 4개 ⑤ 5개

• 출제율 100% 기본기 쌓기

• 정답 및 풀이 22쪽

중요도 ☐ 손도 못댐 ☐ 과정 실수 ☐ 틀린 이유:

05 다음 중 옳지 않은 것은?

① $\left(\dfrac{1}{2}x - \dfrac{3}{4}\right) \div \dfrac{1}{2} = x - \dfrac{3}{2}$

② $(2x-1) \div \dfrac{1}{3} = 6x - 3$

③ $\dfrac{1}{4} \times \left(-8a + \dfrac{4}{5}\right) = -2a + \dfrac{1}{5}$

④ $(8a-24) \div \left(-\dfrac{4}{3}\right) = -6a - 18$

⑤ $(12a+15) \div 6 = 2a + \dfrac{5}{2}$

중요도 ☐ 손도 못댐 ☐ 과정 실수 ☐ 틀린 이유:

06 $3x-4$에서 어떤 식을 더해야 할 것을 뺐더니 $-2x+7$이 되었다. 바르게 계산하였을 때의 결과는?

① $x-3$ ② $5x-5$ ③ $5x+5$

④ $8x-15$ ⑤ $8x+15$

중요도 ☐ 손도 못댐 ☐ 과정 실수 ☐ 틀린 이유:

07 $\dfrac{a+5}{2} + \dfrac{3a-3}{4}$ 을 계산하였을 때, a의 계수를 구하여라.

중요도 ☐ 손도 못댐 ☐ 과정 실수 ☐ 틀린 이유:

08 $\dfrac{1}{2}(3x-2) + \dfrac{1}{3}(x+1)$을 계산하였을 때, x의 계수와 상수항의 합은?

① $\dfrac{1}{2}$ ② $\dfrac{2}{3}$ ③ $\dfrac{5}{6}$

④ 1 ⑤ $\dfrac{7}{6}$

시험에 꼭 나오는 문제

01 다항식 x^2-2x+3에서 x의 계수를 a, x^2의 차수를 b, 상수항을 c라고 할 때, abc의 값은?

① -14 ② -12 ③ -10

④ -8 ⑤ -6

02 다음 다항식 중 차수가 가장 큰 것은?

① $2x+x^2$ ② $7x+3$

③ $1-x^2$ ④ $0.2x-1.3$

⑤ $1+\dfrac{3}{2}x-\dfrac{2}{3}x^3$

03 다항식 $-3x+5y-1$에서 항의 개수는 a, x의 계수는 b, 상수항은 c라고 할 때, $a+b-c$의 값은?

① 1   ② 2   ③ 3

④ 4   ⑤ 5

04 $-x^2+2x-1$에 대한 설명으로 옳은 것은?

① 단항식이다.

② 항의 개수는 3개이다.

③ 일차식이다.

④ 상수항은 1이다.

⑤ x의 계수는 -1이다.

05 다음 중 단항식인 것은?

중요도 ☐ 손도 못댐 ☐ 과정 실수 ☐ 틀린 이유:

① $x-1$ ② $x^2 \times 5y$

③ $3a+b$ ④ $a \times (-3)+1$

⑤ x^2-2

06 다음 〈보기〉 중 일차식을 모두 골라라.

중요도 ☐ 손도 못댐 ☐ 과정 실수 ☐ 틀린 이유:

보기

ㄱ. x^2-x-5 ㄴ. $3x+5$

ㄷ. $0.1x-\dfrac{2}{5}$ ㄹ. $-x$

ㅁ. $\dfrac{1}{x}-2$

07 다음 중 옳은 것은?

중요도 ☐ 손도 못댐 ☐ 과정 실수 ☐ 틀린 이유:

① $3(a-2)=3a-5$

② $(-5x+3) \times 5=-25x+15$

③ $3 \times (5+x)=15+x$

④ $(6x+18) \div 3=3x+6$

⑤ $\dfrac{20y-35}{5}=4y-5$

08 다음 중 옳은 것은?

중요도 ☐ 손도 못댐 ☐ 과정 실수 ☐ 틀린 이유:

① $12a \div 3=4$

② $3x \div (-7)=-21x$

③ $(-5b) \div 10=-2b$

④ $(-4y) \div (-2)=2y$

⑤ $\dfrac{2}{5}c \div \left(-\dfrac{4}{15}\right)=\dfrac{3}{2}c$

09 다음 중 동류항끼리 짝지어진 것은?

중요도 ☐ 손도 못댐 ☐ 과정 실수 ☐ 틀린 이유:

① $a^2, 2a$ ② $3a, 3b$ ③ $-2, -2x$

④ $\dfrac{2}{5}y, 5y$ ⑤ $z^2, 2$

시험에 꼭 나오는 문제

10 다음을 계산하여라.

(1) $\dfrac{4}{3}(6x-9)$

(2) $\left(\dfrac{1}{3}a-\dfrac{1}{6}\right)\times(-9)$

(3) $\left(\dfrac{y}{3}-\dfrac{3}{2}\right)\div\dfrac{1}{6}$

11 다음 중 계산 결과가 <u>다른</u> 하나는?

① $2x-(x-3)$

② $(3x+2)+(1-2x)$

③ $(4x+6)-(5x+3)$

④ $-(x+3)+(6+2x)$

⑤ $\dfrac{1}{2}(4x-6)-\dfrac{1}{3}(3x-18)$

12 다음 ☐ 안에 알맞은 식을 구하여라.

$$2(3x-4)+\boxed{}=5(2x-1)$$

13 다음을 계산하여라.

(1) $3x+\dfrac{1}{2}y-\dfrac{3}{2}x+\dfrac{5}{4}y$

(2) $-\dfrac{3}{2}a+4+\dfrac{1}{3}a-\dfrac{10}{3}$

14 $4(3x-5)-3(5x+3)+4x-2$를 계산하였을 때, x의 계수와 상수항의 합을 구하여라.

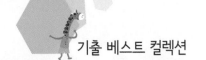
중요도 ☐ 손도 못댐 ☐ 과정 실수 ☐ 틀린 이유:

15 다항식 $2a-[5a+\{1-3(2-a)\}]-4$를 계산하여라.

중요도 ☐ 손도 못댐 ☐ 과정 실수 ☐ 틀린 이유:

16 $2x \div 3 + 6x \times \dfrac{1}{3}$을 계산하면?

① $\dfrac{4}{3}x$　　② $2x$　　③ $\dfrac{8}{3}x$

④ $4x$　　⑤ $8x$

중요도 ☐ 손도 못댐 ☐ 과정 실수 ☐ 틀린 이유:

17 $A=3x+5$, $B=2x-3$일 때, $2A-B$를 x에 대한 식으로 나타내어라.

중요도 ☐ 손도 못댐 ☐ 과정 실수 ☐ 틀린 이유:

18 $-2(x-5)-\left\{\dfrac{1}{4}(-8x+12)+x\right\}$를 간단히 하였을 때, x의 계수를 a, 상수항을 b라고 한다. 이때, $a+b$의 값은?

① 2　　② 3　　③ 4

④ 5　　⑤ 6

중요도 ☐ 손도 못댐 ☐ 과정 실수 ☐ 틀린 이유:

19 직육면체의 밑면의 가로의 길이가 $x+2$, 세로의 길이가 30이고, 높이가 4일 때, 겉넓이를 x에 대한 식으로 나타내어라.

09 일차방정식과 그 해

학습목표 · 방정식과 그 해의 의미를 이해하고, 등식의 성질을 이해한다.

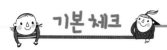 기본 체크

01

다음 중 등식을 모두 찾고, 등식의 좌변과 우변을 각각 말하여라.

> ㉠ $5-x>0$ ㉡ $5x-4=8$
> ㉢ $3a-b$ ㉣ $9-3=6$
> ㉤ $a+3 \geq 7$

02

다음 중 방정식과 항등식을 각각 찾아라.

㉠ $x-2=3$
㉡ $3x+1<5$
㉢ $3x+x-4=4(x-1)$
㉣ $2x+3=5$
㉤ $x-3 \geq 0$

03

다음 등식이 성립하도록 □ 안에 알맞은 것을 써넣어라.

(1) $a=b$이면 $a+2=b+$□
(2) $a=b$이면 $a-5=b-$□
(3) $a=b$이면 $7a=$□
(4) $a=b$이면 $\dfrac{a}{9}=$□

핵심 정리

❀ 방정식과 항등식

① 방정식 : 미지수의 값에 따라 참이 되기도 하고 거짓이 되기도 하는 등식
② 항등식 : 미지수에 어떤 수를 대입하여도 항상 참이 되는 등식

❀ 등식의 성질

① 등식의 양변에 같은 수를 더하여도 등식은 성립한다.
② 등식의 양변에서 같은 수를 빼어도 등식은 성립한다.
③ 등식의 양변에 같은 수를 곱하여도 등식은 성립한다.
④ 등식의 양변을 0이 아닌 같은 수로 나누어도 등식은 성립한다.

↳ 등호(=)를 사용하여 수량 사이의 관계를 나타낸 식

$a=b$이면
① $a+c=b+c$
② $a-c=b-c$
③ $ac=bc$
④ $\dfrac{a}{c}=\dfrac{a}{c}$ $(c \neq 0)$

 대표예제

· 정답 및 풀이 24쪽

01 다음 방정식 중에서 $x=3$을 해로 갖는 것은?

① $x-5=1$
② $2x+4=11$
③ $4x-5=-7$
④ $5x-7=8$
⑤ $-2x+7=-1$

$x=\boxed{}$ 을 대입하여 등식이 참이 되는 방정식을 찾는다.

① (좌변)$=3-5=\boxed{}$ 따라서, (좌변)$\neq$(우변)

② (좌변)$=2\times3+4=\boxed{}$ 따라서, (좌변)$\boxed{}$(우변)

③ (좌변)$=4\times3-5=\boxed{}$ 따라서, (좌변)$\boxed{}$(우변)

④ (좌변)$=5\times3-7=\boxed{}$ 따라서, (좌변)$\boxed{}$(우변)

⑤ (좌변)$=-2\times3+7=\boxed{}$ 따라서, (좌변)$\boxed{}$(우변)

따라서, $x=3$을 해로 갖는 것은 $\boxed{}$이다.

> ※ 방정식의 해(근)
> 방정식을 참이 되게 하는 미지수의 값

---

02 x에 대한 일차방정식 $-x+4=3(a-2)$의 해가 $x=1$일 때, 상수 a의 값을 구하여라.

풀이 $-x+4=3(a-2)$에 $x=\boxed{}$을 대입하면

$\boxed{}+4=3a-6$

$\boxed{}=3a$

$\therefore a=\boxed{}$

> 주어진 일차방정식에 $x=1$을 먼저 대입한다.

---

03 등식의 성질을 이용하여 방정식 $5x+3-x=2x+9$를 풀어라.

풀이 등식의 성질을 이용하여 $ax=b$의 꼴로 변형하여 방정식의 해를 구한다.

$5x+3-x=2x+9$

$5x-x-\boxed{}=9-\boxed{}$

$\boxed{}x=\boxed{}$

$\therefore x=\boxed{}$

---

04 등식의 성질을 이용하여 방정식 $\dfrac{x}{2}-2=-5$를 풀어라.

풀이 $\dfrac{x}{2}-2=-5$

$\dfrac{x}{2}-2+\boxed{}=-5+\boxed{}$

$\dfrac{x}{2}=\boxed{}$

$\dfrac{x}{2}\times\boxed{}=-3\times\boxed{}$

$\therefore x=\boxed{}$

> ※ 등식의 성질
> $a=b$이면
> ① $a+c=b+c$
> ② $a-c=b-c$
> ③ $ac=bc$
> ④ $\dfrac{a}{c}=\dfrac{b}{c}$(단, $c\neq0$)

등식

- **등식으로 나타내기**
  문장을 등식으로 나타낼 때에는 문장을 적절히 끊어서 같아지도록 좌변과 우변이 되는 식을 각각 세운다.
- **등식의 성질의 이해**
  등식의 양변에서 b를 빼는 것은 양변에 $-b$를 더하는 것과 같고, 양변을 c $(c\neq0)$로 나누는 것은 양변에 $\dfrac{1}{c}$을 곱하는 것과 같다.

어떤 교과서에나 나오는 문제

중요도 ☐ 손도 못댐 ☐ 과정 실수 ☐ 틀린 이유:

01 다음 중 등식인 것을 모두 고르면? (정답 2개)

① $3x-1=5$ ② $x+1>3$

③ $6-2\neq3$ ④ $5x+8=-4$

⑤ $-x+2\leq4$

중요도 ☐ 손도 못댐 ☐ 과정 실수 ☐ 틀린 이유:

02 다음 중 항등식인 것은?

① $2x-6=4-2x$

② $5x-4=0$

③ $6x+1=3(2x+1)$

④ $3x=0$

⑤ $2x-(x-8)=x+8$

중요도 ☐ 손도 못댐 ☐ 과정 실수 ☐ 틀린 이유:

03 등식 $-2x+3=2(x+4)+$☐가 x에 대한 항등
식일 때, ☐ 안에 알맞은 것은?

① $-4x-5$ ② $-2x-5$

③ $-4x+11$ ④ $2x-11$

⑤ $4x+5$

중요도 ☐ 손도 못댐 ☐ 과정 실수 ☐ 틀린 이유:

04 다음 방정식 중에서 해가 $x=-3$인 것은?

① $2x+3=-1$ ② $x-5=-2$

③ $-x-6=-3$ ④ $x-1=2x+3$

⑤ $5x-2=3x$

중요도 ☐ 손도 못댐 ☐ 과정 실수 ☐ 틀린 이유:

05 다음 방정식 중 해가 $x=3$인 것은?

① $2x-3=1$ ② $4x-3=2x-1$

③ $\dfrac{x}{3}+3=5$ ④ $8+3x=2x+11$

⑤ $\dfrac{x+1}{4}=2$

중요도 ☐ 손도 못댐 ☐ 과정 실수 ☐ 틀린 이유:

06 다음 중 [ ] 안의 수가 주어진 일차방정식의 해인 것은?

① $x-4=7$ [3]　　② $2x+3=2$ $\left[-\dfrac{1}{2}\right]$

③ $4x=4$ [0]　　④ $-\dfrac{1}{2}x=3$ [6]

⑤ $6x=4x-7$ [1]

중요도 ☐ 손도 못댐 ☐ 과정 실수 ☐ 틀린 이유:

07 다음 중 옳은 것은?

① $a+1=b$이면 $2a+1=2b$

② $a+2=b+2$이면 $a=b$

③ $\dfrac{a}{3}=\dfrac{b}{4}$이면 $3a=4b$

④ $ac=bc$이면 $a=b$

⑤ $a=b$이면 $5a=-5b$

중요도 ☐ 손도 못댐 ☐ 과정 실수 ☐ 틀린 이유:

08 x에 대한 일차방정식 $a=-x+3$의 해가 $x=-3$일 때, 상수 a의 값은?

① -6　　② -3　　③ 0

④ 3　　⑤ 6

중요도 ☐ 손도 못댐 ☐ 과정 실수 ☐ 틀린 이유:

09 등식의 성질을 이용하여 방정식 $2x+3=4x-3$ 을 풀어라.

시험에 꼭 나오는 문제

01 다음 문장을 등식으로 나타내어라.

중요도 ☐ 손도 못댐 ☐ 과정 실수 ☐ 틀린 이유:

> 어떤 수 x에서 3을 뺀 수의 4배는 x의 5배보다 6만큼 작다.

---

02 다음 주어진 등식 중 x에 대한 항등식인 것은?

중요도 ☐ 손도 못댐 ☐ 과정 실수 ☐ 틀린 이유:

① $x=2x$
② $2x-2=0$
③ $3x=x-4$
④ $4(x+1)=x+4$
⑤ $x+3=3(x+1)-2x$

---

03 등식 $-3(x+2)=-6+ax$가 모든 x의 값에 대하여 참이 될 때, 상수 a의 값을 구하여라.

중요도 ☐ 손도 못댐 ☐ 과정 실수 ☐ 틀린 이유:

---

04 다음 〈보기〉 중 x의 값에 관계없이 항상 참인 등식을 모두 고른 것은?

중요도 ☐ 손도 못댐 ☐ 과정 실수 ☐ 틀린 이유:

> **보기**
> ㄱ. $2x-2=2(x-1)$ ㄴ. $5+x=6$
> ㄷ. $4x-x=3x$ ㄹ. $x^2=x+x$

① ㄱ, ㄴ ② ㄱ, ㄷ ③ ㄴ, ㄹ
④ ㄷ, ㄹ ⑤ ㄱ, ㄴ, ㄹ

중요도 ☐ 손도 못댐 ☐ 과정 실수 ☐ 틀린 이유:

05 다음 식이 항등식이 되도록 ☐ 안에 알맞은 것을 써넣어라.

(1) $3(2x-3)+4=6x+\boxed{}$

(2) $3x+\boxed{}+2x-5=5x-8$

중요도 ☐ 손도 못댐 ☐ 과정 실수 ☐ 틀린 이유:

06 다음 [ ] 안의 수가 주어진 방정식의 해가 <u>아닌</u> 것을 모두 고르면? (정답 2개)

① $2-x=3\ [-1]$

② $2x-3=-5\ [1]$

③ $\dfrac{x}{2}+\dfrac{1}{2}=2\ [2]$

④ $2x+1=x\ [-1]$

⑤ $3x=2(x-1)+3\ [1]$

중요도 ☐ 손도 못댐 ☐ 과정 실수 ☐ 틀린 이유:

07 다음 중 해가 $x=3$인 방정식은?

① $2x=5$

② $x-2=3$

③ $4(x-2)-(x+2)=2$

④ $0.2x-0.7=0.3x-1$

⑤ $\dfrac{x-4}{2}+\dfrac{2x-1}{3}=1$

중요도 ☐ 손도 못댐 ☐ 과정 실수 ☐ 틀린 이유:

08 다음 〈보기〉 중 일차방정식의 해가 $x=-1$인 것을 모두 찾아라.

보기

ㄱ. $x=3x-1$ ㄴ. $x-3=2x-5$

ㄷ. $2-3x=5$ ㄹ. $3x+4=4x-9$

ㅁ. $-2x+3=5$ ㅂ. $2x=x+2$

중요도 ☐ 손도 못댐 ☐ 과정 실수 ☐ 틀린 이유:

09 x가 0, 1, 2, 3일 때, 다음 방정식의 해를 구하여라.

(1) $3-x=2$

(2) $3x+1=2x+3$

중요도 ☐ 손도 못댐 ☐ 과정 실수 ☐ 틀린 이유:

10 x에 대한 일차방정식 $\dfrac{3x+a}{2}=2x-3$의 해가 $x=-2$일 때, 상수 a의 값을 구하여라.

중요도 ☐ 손도 못댐 ☐ 과정 실수 ☐ 틀린 이유:

11 등식 $-6(x-2)+x=5(ax+b)+2$가 x에 대한 항등식일 때, 상수 a, b의 곱 ab의 값을 구하여라.

중요도 ☐ 손도 못댐 ☐ 과정 실수 ☐ 틀린 이유:

12 x에 대한 일차방정식 $-4x+3a=7$의 해가 $x=-1$일 때, 상수 a의 값은?

① $-\dfrac{13}{2}$　　② -1　　③ 1

④ 3　　⑤ $\dfrac{11}{3}$

중요도 ☐ 손도 못댐 ☐ 과정 실수 ☐ 틀린 이유:

13 x에 대한 두 일차방정식 $3x-4=2a$, $2x-3=9$의 해가 같을 때, 상수 a의 값은?

① 5　　② 6　　③ 7
④ 8　　⑤ 9

중요도 ☐ 손도 못댐 ☐ 과정 실수 ☐ 틀린 이유:

14 다음 중 옳지 <u>않은</u> 것은?

① $a=b+2$이면 $a-2=b$이다.
② $a=3$이면 $-a=-3$이다.
③ $5a=3b$이면 $\dfrac{a}{3}=\dfrac{b}{5}$이다.
④ $a=-1$이면 $a^2=a$이다.
⑤ $a=b$이면 $a^2=ab$이다.

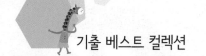
15 $a=b$일 때, 다음 중 옳지 <u>않은</u> 것은?

① $a+c=b+c$ ② $a \times \dfrac{1}{5} = b \times \dfrac{1}{5}$

③ $2a=a+b$ ④ $3a+1=3b+3$

⑤ $ab=b^2$

16 $a=b$일 때, 다음 중 옳지 <u>않은</u> 것은? (단, $c \ne 0$)

① $a+2c=b+2c$ ② $\dfrac{a-4}{3} = \dfrac{b-3}{4}$

③ $ac-d=bc-d$ ④ $\dfrac{a}{c}+1 = \dfrac{b}{c}+1$

⑤ $a(3+c)=b(3+c)$

17 $a=2b$일 때, 다음 중 옳은 것은?

① $3a=9b$ ② $\dfrac{a}{3} = \dfrac{b}{6}$

③ $2a+1=b+1$ ④ $a+2=2(b+1)$

⑤ $\dfrac{a}{4}-1 = \dfrac{b-1}{2}$

18 등식의 성질을 이용하여 방정식 $-x-3=6x-10$
을 풀어라.

19 등식의 성질을 이용하여 방정식 $\dfrac{4x-1}{5}=3$의 해를
구하여라.

10 일차방정식의 풀이

학습목표 • 일차방정식을 풀 수 있다.

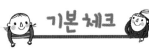 **기본 체크**

01

다음 <보기> 중 일차방정식을 모두 골라라.

보기

ㄱ. $3x-2$ ㄴ. $\dfrac{4}{3}x+7=3$

ㄷ. $x-2=3x$ ㄹ. $x^2-2=2$

02

다음 일차방정식을 풀어라.

(1) $x-1=15$
(2) $1+x=3$
(3) $-x=10$
(4) $2x=8$

 **핵심 정리**

✺ 일차방정식의 풀이

① 괄호가 있으면 먼저 분배법칙을 이용하여 괄호를 푼다.
② 미지수가 들어 있는 항은 좌변으로, 상수항은 우변으로 이항한다.
③ 양변을 동류항끼리 정리하여 $ax=b\,(a\neq0)$의 꼴로 고친다.
④ 양변을 x의 계수 a로 나누어 해 $x=\dfrac{b}{a}$를 구한다.
⑤ 구한 해가 일차방정식을 참이 되게 하는지 확인한다.

↳ 등식의 모든 항을 좌변으로
이항하여 정리한 식이 (일차식)=0의 꼴로 나타내어지는 방정식

↳ 등식의 성질을 이용하여 등식의 한 변에 있는 항을
부호를 바꾸어 다른 변으로 옮기는 것

✺ 복잡한 일차방정식의 풀이

계수에 소수나 분수가 있으면 양변에 적당한 수를 곱하여 계수를 정수로 고쳐서 푼다.
⑴ 계수가 소수인 경우 : 양변에 10, 100, 1000, … 을 곱한다.
⑵ 계수가 분수인 경우 : 양변에 분모의 최소공배수를 곱하여 계수를 정수로 고쳐서 푼다.

 **대표예제**

• 정답 및 풀이 26쪽

01 다음 일차방정식을 이항을 이용하여 $ax=b$의 꼴로 나타내어라.

(1) $x-3=5$ (2) $x+2=-x$

(3) $3x-2=x+4$ (4) $2x-1=-x+2$

풀이 (1) $x-3=5$ ➜ $x=5+\square$ ➜ $x=\square$

(2) $x+2=-x$ ➜ $x+x=\square$ ➜ $2x=\square$

(3) $3x-2=x+4$ ➜ $3x-\square=4+\square$ ➜ $\square\,x=\square$

(4) $2x-1=-x+2$ ➜ $2x+\square=2+\square$ ➜ $\square\,x=\square$

이항을 할 때에는 옮기는 항의 부호가 바뀐다.

02 일차방정식 $2x-5=3$을 풀어라.

풀이
$2x-5=3$
$2x=3+\boxed{}$
$\therefore x=\boxed{}$

이항을 이용하여 $ax=b$ 꼴로 만든 다음, 양변을 a로 나눈다.

03 일차방정식 $2x+3=x-2$를 풀어라.

풀이 좌변의 3을 이항하면
$2x=x-2-\boxed{},\ 2x=x-\boxed{}$
우변의 x를 이항하면
$2x-\boxed{}=\boxed{}\quad \therefore x=\boxed{}$

04 일차방정식 $3(x-1)=3$을 풀어라.

풀이 $3(x-1)=3,\ 3x-\boxed{}=3$
$3x=\boxed{}\quad \therefore x=\boxed{}$

방정식에 괄호가 있을 때에는 분배법칙을 이용하여 괄호를 푼다.

05 다음 두 일차방정식의 해가 같을 때, 상수 a의 값을 구하여라.

$$\frac{2}{5}x-1=\frac{1}{15},\ \ 2(x-4)=3x-6(x-a)$$

풀이 일차방정식 $\dfrac{2}{5}x-1=\dfrac{1}{15}$을 풀면

$6x-15=\boxed{},\ 6x=\boxed{}$
$\therefore x=\boxed{}$

$2(x-4)=3x-6(x-a)$를 간단히 정리하면

$2x-8=-3x+\boxed{},\ 5x=6a+80$이므로 $x=\boxed{}$을 대입하면

$5\times\boxed{}=6a+8,\ \boxed{}=6a$

$\therefore a=\boxed{}$

두 방정식의 해가 같을 때, 한 방정식에서 해를 구하여 다른 방정식에 대입한다.

일차방정식에서 계수에 분수나 소수가 있으면 양변에 적당한 수를 곱하여 계수를 정수로 고쳐서 방정식을 푼다.

계수에 소수와 분수가 섞여 있는 일차방정식의 풀이

양변에 항상 10의 거듭제곱이나 분모의 최소공배수를 곱해야하는 것은 아니다. 예를 들어 $\dfrac{1}{4}x-0.7=-\dfrac{1}{2}$의 경우는 양변에 4나 10을 곱하는 것 보다는 20을 곱하면 식을 간단히 할 수 있다. 즉, 양변의 계수를 정수로 만들 수 있는 간단한 수를 곱한다.

어떤 교과서에나 나오는 문제

01 다음 중 이항한 것이 옳지 <u>않은</u> 것은?

① $7x+1=5 \rightarrow 7x=5-1$

② $4x+1=2x \rightarrow 4x-2x=-1$

③ $3-2x=x \rightarrow -2x-x=-3$

④ $x-5=5x-1 \rightarrow x-5x=-1+5$

⑤ $2x=3x-6 \rightarrow 2x-3x=6$

02 일차방정식 $2(x-1)=x+3$을 이항하여 정리한 후 $ax=b$의 꼴로 고쳤을 때, $a+b$의 값은? (단, a와 b는 서로소인 자연수이다.)

① 4　　　　② 5　　　　③ 6

④ 7　　　　⑤ 8

03 이항을 이용하여 다음 일차방정식의 해를 구하여라.

(1) $3x+2=14$

(2) $4=5x-11$

04 다음 방정식을 풀어라.

(1) $5x-4=x+8$

(2) $5x-1=-3x+39$

05 일차방정식 $2(x+3)=3(x+1)$을 풀어라.

중요도 ☐   손도 못댐 ☐   과정 실수 ☐   틀린 이유:

06 방정식 $\dfrac{2x-1}{3}+\dfrac{1}{4}=\dfrac{1}{2}x$의 해가 $x=a$일 때, $2a^2$의 값은?

① 8   ② 2   ③ $\dfrac{1}{2}$

④ $\dfrac{1}{4}$ ⑤ $\dfrac{1}{8}$

중요도 ☐   손도 못댐 ☐   과정 실수 ☐   틀린 이유:

07 일차방정식 $0.4x-0.8=-2$를 풀면?

① $x=-3$ ② $x=-2$ ③ $x=1$
④ $x=2$ ⑤ $x=4$

중요도 ☐   손도 못댐 ☐   과정 실수 ☐   틀린 이유:

08 x에 대한 두 방정식 $5x+3=2x-9$와 $2x+a=3x-6$의 해가 같을 때, 상수 a의 값은?

① -2 ② -4 ③ -6
④ -8 ⑤ -10

중요도 ☐   손도 못댐 ☐   과정 실수 ☐   틀린 이유:

09 비례식 $(x-3):3=(2x-1):5$를 만족하는 x의 값이 방정식 $\dfrac{x-3}{3}+a=2$의 해가 될 때, 상수 a의 값은?

① 3   ② 5   ③ 6
④ 7   ⑤ 9

중요도 ☐   손도 못댐 ☐   과정 실수 ☐   틀린 이유:

10 일차방정식 $a(x-1)=3$의 해가 $x=-2$일 때, 일차방정식 $x-a(x-1)=7$의 해를 $x=b$라 한다. 이때, 상수 a, b에 대하여 $b-a$의 값을 구하여라.

시험에 꼭 나오는 문제

중요도 ☐ 손도 못댐 ☐ 과정 실수 ☐ 틀린 이유:

01 방정식 $2x^2-3x+1=ax^2+x-2$가 x에 대한 일차 방정식이 되기 위한 상수 a의 값으로 가능한 것은?

① 3 　　　　② -3 　　　　③ 2
④ -2 　　　　⑤ 1

중요도 ☐ 손도 못댐 ☐ 과정 실수 ☐ 틀린 이유:

02 방정식 $3x+1=-ax$가 x에 대한 일차방정식이 되기 위한 상수 a의 조건을 구하여라.

중요도 ☐ 손도 못댐 ☐ 과정 실수 ☐ 틀린 이유:

03 일차방정식 $3(x+1)=2(3x-1)-4$를 이항하여 정리한 후 $ax=b$의 꼴로 고쳤을 때, $a+b$의 값은? (단, a와 b는 서로소인 자연수이다.)

① 3 　　　　② 4 　　　　③ 5
④ 6 　　　　⑤ 7

중요도 ☐ 손도 못댐 ☐ 과정 실수 ☐ 틀린 이유:

04 일차방정식 $x-3=3x+5$의 해가 $x=a$일 때, 상수 a의 값은?

① -8 　　　　② -4 　　　　③ 2
④ 4 　　　　⑤ 8

05 중요도 ☐ 손도 못댐 ☐ 과정 실수 ☐ 틀린 이유:

다음 두 방정식의 해가 $x=2$일 때, 상수 a, b의 합 $a+b$의 값을 구하여라.

$$2(x+1)-3=-3(x+a),$$
$$\frac{2}{3}(x+b)=\frac{3x-2}{2}$$

06 중요도 ☐ 손도 못댐 ☐ 과정 실수 ☐ 틀린 이유:

방정식 $-3(2x-1)=4(x-2)+1$의 해는?

① $x=-1$ ② $x=0$ ③ $x=1$
④ $x=2$ ⑤ $x=3$

07 중요도 ☐ 손도 못댐 ☐ 과정 실수 ☐ 틀린 이유:

다음 중 일차방정식 $x+4=2(x+3)$과 해가 같은 일차방정식은?

① $2x-3=7$ ② $\frac{1}{2}x+1=5$

③ $-x-5=2x+7$ ④ $2(x+1)=-x+5$

⑤ $-x-3.3=x+0.7$

08 중요도 ☐ 손도 못댐 ☐ 과정 실수 ☐ 틀린 이유:

일차방정식 $4(x-1)+x=6$을 풀어라.

09 중요도 ☐ 손도 못댐 ☐ 과정 실수 ☐ 틀린 이유:

일차방정식 $0.3x-0.2=2(0.2x-1)$을 풀면?

① $x=-14$ ② $x=-12$ ③ $x=4$
④ $x=18$ ⑤ $x=22$

시험에 꼭 나오는 문제

중요도 ☐ 손도 못댐 ☐ 과정 실수 ☐ 틀린 이유:

10 비례식 $\dfrac{2x+1}{3} : \dfrac{7}{6} = (x-3) : -7$을 만족하는
x의 값을 구하여라.

중요도 ☐ 손도 못댐 ☐ 과정 실수 ☐ 틀린 이유:

11 방정식 $0.1x-2 = \dfrac{3}{5}x-4$의 해는?

① $x=-4$ ② $x=-2$ ③ $x=1$
④ $x=4$ ⑤ $x=6$

중요도 ☐ 손도 못댐 ☐ 과정 실수 ☐ 틀린 이유:

12 방정식 $3x+1=7$의 해가 $x=a$이고, 방정식
$0.3x = \dfrac{1}{5}(x-3)$의 해가 $x=b$일 때, ab의 값을 구
하여라.

중요도 ☐ 손도 못댐 ☐ 과정 실수 ☐ 틀린 이유:

13 방정식 $3 - \dfrac{3x+1}{2} = x$의 해가 $x=a$일 때,
a^2-2a의 값은?

① -2 ② -1 ③ 0
④ 1 ⑤ 2

중요도 ☐ 손도 못댐 ☐ 과정 실수 ☐ 틀린 이유:

14 다음 두 방정식의 해가 같을 때, 상수 a의 값을 구
하여라.

$$\dfrac{1}{2}x - \dfrac{1}{3} = x-1, \quad 6x+2 = a$$

중요도 ☐ 손도 못댐 ☐ 과정 실수 ☐ 틀린 이유:

15 x에 대한 일차방정식 $\dfrac{2x+5}{4}+\dfrac{ax-3}{2}=-1$의

해가 $x=-1$일 때, 상수 a의 값은?

① -1 ② $-\dfrac{1}{2}$ ③ $\dfrac{1}{2}$

④ 1 ⑤ $\dfrac{3}{2}$

중요도 ☐ 손도 못댐 ☐ 과정 실수 ☐ 틀린 이유:

16 방정식 $\dfrac{x}{3}-\dfrac{x-5}{4}=\dfrac{3}{2}$의 해를 $x=a$, 방정식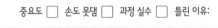
$0.3(2x+1)=0.2(x+3)+0.5$의 해를 $x=b$라
고 할 때, $a+b$의 값을 구하여라.

중요도 ☐ 손도 못댐 ☐ 과정 실수 ☐ 틀린 이유:

17 방정식 $\dfrac{2}{3}(x+0.2)=\dfrac{x}{2}-0.3(x-2)$를 풀면?

① $x=-2$ ② $x=-1$ ③ $x=0$
④ $x=1$ ⑤ $x=2$

중요도 ☐ 손도 못댐 ☐ 과정 실수 ☐ 틀린 이유:

18 x에 대한 방정식 $2x+a=b+x$의 해가 방정식
$3(x-2)=x-3$의 해의 2배일 때, 상수 a, b에 대
하여 $a-b$의 값을 구하여라.

11 일차방정식의 활용

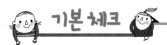

01
x를 사용하여 문제의 뜻에 맞게 방정식을 세워라.

(1) 현재 x살인 현우가 5년 후에는 10살이다.
(2) 한 개에 1000원인 사과 x개의 가격이 8000원이다.
(3) 시속 3 km로 x km를 가는데 2시간이 걸렸다.

✳ 일차방정식의 활용 문제를 푸는 순서

① 문제의 뜻을 파악하고, 구하려고 하는 것을 미지수 x로 놓는다.
② x를 사용하여 문제의 뜻에 맞게 방정식을 세운다.
③ 방정식을 풀어 x의 값을 구한다.
④ 구한 해가 문제의 뜻에 맞는지 확인한다.

대표예제

• 정답 및 풀이 29쪽

01 한 개에 1000원인 아이스크림과 한 개에 1500원인 음료수를 총 7개를 사고 10000원을 내었더니 1500원을 거슬러 받았다. 아이스크림의 개수는 몇 개인지 구하여라.

풀이 아이스크림의 개수를 x개라고 하면 음료수의 개수는 (□)개이다.
아이스크림과 음료수의 값은 각각 $1000x$, $1500($□$)$이므로 식을 세우면
$$10000 - 1000x - 1500(\boxed{}) = 1500$$
$$10000 - 1000x - 10500 + \boxed{} = 1500$$
$$\boxed{}x = \boxed{} \qquad \therefore x = \boxed{}$$
따라서, 아이스크림은 □개 구입하였다.

> (물건의 값)
> =(물건 1개의 가격)×
> (물건의 개수)

02 형의 나이는 동생의 나이보다 4살 많고 현재 형과 동생의 나이의 합이 28일 때, 동생의 나이를 구하여라.

풀이 동생의 나이를 x살이라고 하면 형의 나이는 (□)살이다.
이때, 형과 동생의 나이의 합이 28이므로
$$x + (\boxed{}) = 28, \ 2x + \boxed{} = 28$$
$$2x = \boxed{} \qquad \therefore x = \boxed{}$$
따라서, 동생의 현재 나이는 □살이다.

03 연속하는 두 짝수의 합이 46일 때, 두 짝수 중 작은 수를 구하여라.

풀이 연속하는 두 짝수를 x, ☐ 라고 하면

$x+($☐$)=46$, $2x+$☐$=46$

$2x=$☐ $\quad \therefore x=$☐

따라서, 두 짝수 중 작은 수는 ☐ 이다.

> ※ 연속하는 정수에 대한 문제
> • 연속하는 두 정수 :
> $x, x+1$ (또는 $x-1, x$)
> • 연속하는 세 정수 :
> $x-1, x, x+1$
> (또는 $x, x+1, x+2$)
> • 연속하는 세 홀수 또는 짝수 :
> $x-2, x, x+2$
> (또는 $x, x+2, x+4$)

04 세로의 길이가 가로의 길이보다 3 cm만큼 더 긴 직사각형이 있다. 이 직사각형의 둘레의 길이가 26 cm일 때, 가로의 길이를 구하여라.

풀이 가로의 길이를 x cm라 하면, 세로의 길이는 ($\boxed{}$) cm이다.

$2 \times \{($ 가로의 길이$)+($ 세로의 길이$)\}=($ 직사각형의 둘레의 길이$)$이므로

식을 세우면 $2 \times \{x+($☐$)\}=26$

방정식을 풀면

$2\{x+($☐$)\}=26$, $2($☐$)=26$, ☐$=26$

☐$x=$☐ $\quad \therefore x=$☐

따라서, 가로의 길이는 ☐ cm이다.

> ※ 도형에 대한 문제
> • (직사각형의 넓이)
> $=($가로의길이$)\times($세로의 길이$)$
> • (직사각형의 둘레의 길이)
> $=2\times\{($가로의 길이$)+($세로의 길이$)\}$
> • (삼각형의 넓이)
> $=\dfrac{1}{2}\times($밑변의 길이$)\times($높이$)$
> • (사다리꼴의 넓이)
> $=\dfrac{1}{2}\times\{($윗변의 길이$)$
> $+($아랫변의 길이$)\}\times($높이$)$

05 집에서 영화관까지 시속 4 km로 걸어가면 시속 6 km로 자전거를 타고 갈 때보다 15분 늦게 도착한다고 한다. 집에서 영화관까지의 거리를 구하여라.

풀이 집에서 영화관까지의 거리를 x km라 하면

걸어갈 때 걸린 시간은 $\dfrac{x}{4}$시간, 자전거를 타고 갈 때 걸린 시간은 ☐ 시간이다.

(걸어갈 때 걸린 시간)$-$(자전거를 타고 갈 때 걸린 시간)$=15$분$=$☐ 시간이므로

$\dfrac{x}{4}-\dfrac{x}{6}=$☐

방정식을 풀면

$3x-2x=$☐ $\quad \therefore x=$☐

따라서, 집에서 영화관까지의 거리는 ☐ km이다.

> ※ 거리, 속력, 시간 사이의 관계
> • (거리)$=($속력$)\times($시간$)$
> • (속력)$=\dfrac{(거리)}{(시간)}$
> • (시간)$=\dfrac{(거리)}{(속력)}$

단위의 통일

거리, 속력, 시간의 단위가 같은지 확인하고, 같지 않으면 단위를 통일시킨다.

1시간$=60$분, 1분$=60$초, 1 km$=1000$ m, 1 m$=100$ cm

어떤 교과서에나 나오는 문제

01 연속하는 세 정수의 합이 129일 때, 세 정수를 구하여라.

중요도 ☐ 손도 못댐 ☐ 과정 실수 ☐ 틀린 이유:

02 아버지의 나이는 40살이고 딸의 나이는 4살일 때, 아버지의 나이가 딸의 나이의 3배가 되는 것은 몇 년 후인지 구하여라.

중요도 ☐ 손도 못댐 ☐ 과정 실수 ☐ 틀린 이유:

03 둘레의 길이가 24 cm인 직사각형의 세로의 길이는 가로의 길이의 2배라고 한다. 이때, 가로의 길이를 구하여라.

중요도 ☐ 손도 못댐 ☐ 과정 실수 ☐ 틀린 이유:

04 한 개에 200원인 볼펜과 한 개에 300원인 싸인펜을 합하여 7자루를 사고, 1700원을 지불하였다. 이때, 볼펜의 개수를 구하여라.

중요도 ☐ 손도 못댐 ☐ 과정 실수 ☐ 틀린 이유:

05 은희와 준영이의 예금액이 각각 10000원, 150000원 이다. 두 사람이 매달 5000원씩 예금을 한다면 몇 개월 후에 준영이의 예금액이 은희의 예금액의 3 배가 되겠는가?

중요도 ☐ 손도 못댐 ☐ 과정 실수 ☐ 틀린 이유:

① 8개월 후   ② 10개월 후   ③ 12개월 후

④ 14개월 후   ⑤ 16개월 후

06 어떤 분수의 분자와 분모의 합이 72이고, 분자와 분모의 비가 4:5일 때, 분자의 수는?

중요도 ☐ 손도 못댐 ☐ 과정 실수 ☐ 틀린 이유:

① 25   ② 28   ③ 30

④ 32   ⑤ 36

07 등산을 하는데 올라갈 때는 시속 4 km로 걷고, 같은 길을 내려올 때는 시속 6 km로 걸었더니 총 5시간이 걸렸다. 올라갈 때 걸은 거리는?

중요도 ☐ 손도 못댐 ☐ 과정 실수 ☐ 틀린 이유:

① 5 km   ② 9 km   ③ 11 km

④ 12 km   ⑤ 15 km

08 두 사람이 10 km 떨어진 두 지점 A, B에서 서로 마주 보고 동시에 출발하였다. 이때, 두 사람의 속력이 각각 시속 10 km, 15 km일 때, 두 사람이 만날 때까지 몇 분 걸렸는지 구하여라.

중요도 ☐ 손도 못댐 ☐ 과정 실수 ☐ 틀린 이유:

시험에 꼭 나오는 문제

01 연속하는 세 짝수의 합이 78일 때, 가장 큰 짝수를 구하여라.

02 일의 자리의 숫자가 3인 두 자리의 자연수가 있다. 이 자연수는 각 자리의 숫자의 합의 7배와 같다. 이 자연수를 구하여라.

03 어느 양궁 선수가 12발의 화살을 쏘아 7점과 9점에 해당하는 과녁만을 맞추어 점수의 합이 100점이 되었다. 이때, 7점의 과녁을 맞춘 화살은 몇 개인지 구하여라.

04 현재 준영이의 아버지의 나이는 준영이의 나이의 4배이지만 24년 후에는 준영이의 나이의 2배가 된다고 할 때, 현재 준영이의 나이를 구하여라.

중요도 ☐ 손도 못댐 ☐ 과정 실수 ☐ 틀린 이유:

05 학생들을 한 줄에 5명씩 세우면 1명이 남고 8명씩 세우면 5명씩 세울 때보다 4줄 적게 세우고 3명이 남는다. 이때, 학생 수를 구하여라.

중요도 ☐ 손도 못댐 ☐ 과정 실수 ☐ 틀린 이유:

06 효진이는 가지고 있던 1500원과 어머니로부터 받은 용돈으로 간식을 사러 갔다. 가지고 있는 돈의 $\frac{2}{5}$를 썼더니 남은 돈이 4800원이 되었다면 받은 용돈은 얼마인지 구하여라.

중요도 ☐ 손도 못댐 ☐ 과정 실수 ☐ 틀린 이유:

07 700원짜리 우유와 1000원짜리 빵을 합해 10개를 사고 8800원을 지불하였다. 이때, 빵은 몇 개 샀는지 구하여라.

중요도 ☐ 손도 못댐 ☐ 과정 실수 ☐ 틀린 이유:

08 어떤 물건의 원가에 이익을 20 % 붙여서 정가를 정하였다. 이 정가에서 500원을 할인해서 팔았더니 이익을 10 % 얻었다고 한다. 이 물건의 원가를 구하여라.

09 가로의 길이가 세로의 길이보다 7 cm 더 길고, 둘레의 길이가 70 cm인 직사각형의 넓이는?

① 198 cm²   ② 228 cm²   ③ 294 cm²

④ 330 cm²   ⑤ 416 cm²

10 윗변의 길이가 4 cm, 아랫변의 길이가 6 cm, 높이가 5 cm인 사다리꼴에서 아랫변의 길이를 x cm만큼 늘였더니 처음 사다리꼴의 넓이보다 15 cm² 늘어났다. 이때, x의 값을 구하여라.

11 가은이는 학교에서 집으로 가기 위해 시속 4 km로 걸어가고 있다. 나은이는 가은이가 학교를 출발한지 30분 후 시속 12 km로 자전거를 타고 가서 가은이를 만났다. 두 사람이 만날 때까지 가은이가 움직인 거리를 구하여라.

12 정규는 10 km 마라톤에 참가하여 출발 지점부터 어느 지점까지 시속 10 km로 달리다가 나머지는 시속 6 km로 달려 1시간 20분만에 완주하였다. 이때, 시속 6 km로 달린 거리는?

① 2 km   ② 3 km   ③ 4 km

④ 5 km   ⑤ 6 km

13 현우는 학교에 가기 위해 집에서 출발하여 매분 30 m의 속력으로 일정하게 걸어갔다. 도중에 신호등에서 잠시 멈추었다가 다시 걸어 학교에 도착하니 정확히 40분이 걸렸다. 집에서 학교까지의 거리가 1140 m일 때, 신호등에서 멈춘 시간을 구하여라.

중요도 ☐ 손도 못댐 ☐ 과정 실수 ☐ 틀린 이유:

14 두 사람이 3일 동안 5개의 봉제 인형을 만들 수 있다고 한다. 이때, 일곱 사람이 70개의 봉제 인형을 만들려면 며칠이 걸리는지 구하여라. (단, 한 사람이 봉제 인형 한 개를 만드는 데 걸리는 시간은 모두 같다.)

중요도 ☐ 손도 못댐 ☐ 과정 실수 ☐ 틀린 이유:

15 어떤 일을 완전히 끝마치는 데 갑이 혼자 일하면 8일이 걸리고, 을이 혼자 일하면 12일이 걸린다고 한다. 갑이 4일 일한 후에 을이 나머지 일을 끝마쳤을 때, 을이 일한 날 수를 구하여라.

중요도 ☐ 손도 못댐 ☐ 과정 실수 ☐ 틀린 이유:

16 어느 단체의 올해의 회원 수는 지난해보다 2 % 증가하여 357명이다. 이때, 지난해 이 단체의 회원 수는?

① 300명　　② 325명　　③ 327명
④ 350명　　⑤ 355명

중요도 ☐ 손도 못댐 ☐ 과정 실수 ☐ 틀린 이유:

17 어느 중학교의 올해 학생 수가 작년에 비하여 남학생 수는 10 % 증가하였고, 여학생 수는 15 % 감소하였다. 작년의 전체 학생 수가 850명이었고 올해는 작년에 비해 15명이 감소하였을 때, 올해의 여학생 수를 구하여라.

01 중요도 ☐ 손도 못댐 ☐ 과정 실수 ☐ 틀린 이유:

다음 중 옳은 것은?

① $0.1 \times a = 0.a$

② $(x-y) \times \dfrac{1}{2} = x - \dfrac{y}{2}$

③ $a \times b \div 2 = \dfrac{2a}{b}$

④ $x + y \div z = \dfrac{x+y}{z}$

⑤ $a \div b \times c = \dfrac{ac}{b}$

02 중요도 ☐ 손도 못댐 ☐ 과정 실수 ☐ 틀린 이유:

다음 중 $a \div b \times c \div (x \div y)$와 같은 것은?

① $\dfrac{abc}{xy}$ ② $\dfrac{acx}{by}$ ③ $\dfrac{acy}{bx}$

④ $\dfrac{abx}{cy}$ ⑤ $\dfrac{ay}{bcx}$

03 중요도 ☐ 손도 못댐 ☐ 과정 실수 ☐ 틀린 이유:

1000원짜리 지폐 x장과 5000원짜리 지폐 y장의 전체 금액을 문자를 사용한 식으로 나타내면?

① $x + 5y$ ② $5x + 1000y$

③ $6000(x+y)$ ④ $1000x + 5000y$

⑤ $(1000 + 5000)xy$

04 중요도 ☐ 손도 못댐 ☐ 과정 실수 ☐ 틀린 이유:

학생 35명의 수학 점수의 총점이 a점일 때, 수학 점수의 평균을 문자 a를 사용하여 나타내어라.

05 중요도 ☐ 손도 못댐 ☐ 과정 실수 ☐ 틀린 이유:

$a = -\dfrac{1}{2}$일 때, 다음 식의 값을 작은 것부터 차례로 나열하여라.

$$a, \ -a^2, \ (-a)^2, \ a^3$$

06 중요도 ☐ 손도 못댐 ☐ 과정 실수 ☐ 틀린 이유:

$x = \dfrac{1}{3}$, $y = -\dfrac{1}{2}$일 때, $\dfrac{3}{x} + \dfrac{2}{y}$의 값은?

① -4 ② -2 ③ 0

④ 3 ⑤ 5

07 중요도 ☐ 손도 못댐 ☐ 과정 실수 ☐ 틀린 이유:

$x = \dfrac{3}{4}$일 때, $3(2x-1) + 4(-x+1)$의 값을 구하여라.

08 중요도 ☐ 손도 못댐 ☐ 과정 실수 ☐ 틀린 이유:

$2(3x+2)-5(2x-3)+5x-7$을 계산하였을 때, x의 계수와 상수항의 합을 구하여라.

09 중요도 ☐ 손도 못댐 ☐ 과정 실수 ☐ 틀린 이유:

다음 〈보기〉 중 일차식인 것을 모두 고른 것은?

보기
ㄱ. $5x-x^2$　　　　ㄴ. $x+\dfrac{5}{2}$

ㄷ. $\dfrac{2}{x}$　　　　ㄹ. x^2+2x-3

ㅁ. $0.2x+\dfrac{1}{5}$

① ㄱ, ㄴ　　② ㄱ, ㄹ　　③ ㄴ, ㅁ
④ ㄷ, ㅁ　　⑤ ㄱ, ㄷ, ㄹ

10 중요도 ☐ 손도 못댐 ☐ 과정 실수 ☐ 틀린 이유:

다음 중 다항식 $x-5$에 대한 설명으로 옳지 <u>않은</u> 것은?

① 항은 2개이다.
② 일차식이다.
③ 상수항은 5이다.
④ x의 계수는 1이다.
⑤ $x=10$일 때, 식의 값은 5이다.

11 중요도 ☐ 손도 못댐 ☐ 과정 실수 ☐ 틀린 이유:

$\dfrac{2a-4}{3}+\dfrac{2a+5}{6}$를 간단히 한 식에서 상수항을 구하여라.

12 중요도 ☐ 손도 못댐 ☐ 과정 실수 ☐ 틀린 이유:

다음 중 동류항끼리 짝지어진 것은?

① $2x$, $2y$　　② $\dfrac{1}{3}x$, 3　　③ $5x$, $-2x$

④ $5x$, $-\dfrac{1}{5}y$　　⑤ -6, $3x$

13 중요도 ☐ 손도 못댐 ☐ 과정 실수 ☐ 틀린 이유:

$\dfrac{3}{2}(2x-4)+\dfrac{2}{3}(3x+5)$를 간단히 한 식에서 x의 계수와 상수항의 합은?

① $\dfrac{5}{3}$　　② 2　　③ $\dfrac{7}{3}$

④ $\dfrac{8}{3}$　　⑤ 3

14 중요도 ☐ 손도 못댐 ☐ 과정 실수 ☐ 틀린 이유:

다음 〈보기〉 중 일차방정식인 것을 모두 고른 것은?

보기
ㄱ. $2x-1=x$　　　　ㄴ. $x^2+1=10$
ㄷ. $3x-1>2$　　　　ㄹ. $x^2+5x-2=x^2$
ㅁ. $2(x-3)=-6+2x$

① ㄱ, ㄴ　　② ㄱ, ㄹ　　③ ㄴ, ㄷ
④ ㄹ, ㅁ　　⑤ ㄴ, ㄷ, ㅁ

15 중요도 ☐ 손도 못댐 ☐ 과정 실수 ☐ 틀린 이유:

다음 중 항등식은?

① $3x+1=-3x+1$
② $2x-2=0$
③ $x-3=2-x$
④ $4x-1=2(2x-1)$
⑤ $2x+3(x-4)=5x-12$

16 중요도 ☐ 손도 못댐 ☐ 과정 실수 ☐ 틀린 이유:

등식 $2(x-3)=-6+ax$가 모든 x에 대하여 참이 될 때, 상수 a의 값은?

① -3 ② -2 ③ 1
④ 2 ⑤ 3

17 중요도 ☐ 손도 못댐 ☐ 과정 실수 ☐ 틀린 이유:

$a=b$일 때, 다음 중 옳지 <u>않은</u> 것은?

① $a+c=b+c$ ② $\dfrac{a}{c}=\dfrac{b}{c}$

③ $2a=b+a$ ④ $a^2=ab$

⑤ $\dfrac{b}{3}+c=\dfrac{b}{3}+c$

18 중요도 ☐ 손도 못댐 ☐ 과정 실수 ☐ 틀린 이유:

$a=3b$일 때, 다음 중 옳은 것은?

① $3a=6b$ ② $\dfrac{a}{2}=\dfrac{b}{6}$

③ $a+1=3(b+1)$ ④ $3a+3=b+3$

⑤ $\dfrac{a}{3}+1=b+1$

19 중요도 ☐ 손도 못댐 ☐ 과정 실수 ☐ 틀린 이유:

일차방정식 $3(x+1)=x-2$를 이항하여 정리한 후 $ax=-b$의 꼴로 고쳤을 때, $a+b$의 값은? (단, a, b는 서로소인 자연수이다.)

① 6 ② 7 ③ 8
④ 9 ⑤ 10

20 중요도 ☐ 손도 못댐 ☐ 과정 실수 ☐ 틀린 이유:

다음 중 일차방정식 $2(x+1)=-x+5$와 같은 해를 가지는 일차방정식은?

① $2x-5=7$ ② $\dfrac{1}{2}x+3=5$

③ $-x+3=2x-1$ ④ $x+7=2(x+3)$

⑤ $0.5x-0.2=1.3$

21 중요도 ☐ 손도 못댐 ☐ 과정 실수 ☐ 틀린 이유:

$0.3x+0.7=0.4x-1.5$의 해를 $x=a$, $\dfrac{3x+2}{2}-\dfrac{5x+4}{3}=2$의 해를 $x=b$라고 할 때, $a-b$의 값은?

① 36 ② 26 ③ 18
④ 12 ⑤ 8

22 중요도 ☐ 손도 못댐 ☐ 과정 실수 ☐ 틀린 이유:

$(3x-1):1=(3x+1):3$을 만족하는 x의 값은?

① $-\dfrac{3}{2}$ ② $-\dfrac{2}{3}$ ③ $\dfrac{2}{3}$

④ $\dfrac{3}{2}$ ⑤ $\dfrac{5}{2}$

• 정답 및 풀이 32쪽

23 중요도 ☐ 손도 못댐 ☐ 과정 실수 ☐ 틀린 이유:

다음 x에 대한 두 일차방정식의 해가 같을 때, 상수 a의 값을 구하여라.

$$2(x-5)=3x+2, \quad 2x+15=\frac{1}{2}x-a$$

24 중요도 ☐ 손도 못댐 ☐ 과정 실수 ☐ 틀린 이유:

일차방정식 $\frac{5}{2}x+3=2x-\frac{3}{2}$의 해를 $x=a$라 하고,

일차방정식 $0.5(x+1)+0.4=0.2(2x-1)$의 해를 $x=b$라 할 때, $a+b$의 값을 구하여라.

25 중요도 ☐ 손도 못댐 ☐ 과정 실수 ☐ 틀린 이유:

십의 자리의 숫자가 3인 두 자리의 자연수가 있다. 십의 자리의 숫자와 일의 자리의 숫자를 바꾸었더니 처음 수의 2배보다 7만큼 클 때, 처음의 자연수는?

① 31   ② 36   ③ 38
④ 33   ⑤ 32

26 중요도 ☐ 손도 못댐 ☐ 과정 실수 ☐ 틀린 이유:

연속하는 세 짝수의 합이 84일 때, 가장 작은 짝수를 구하여라.

27 중요도 ☐ 손도 못댐 ☐ 과정 실수 ☐ 틀린 이유:

등산을 하는데 올라갈 때는 시속 2 km로 걷고 내려올 때는 시속 3 km로 걸었더니 총 5시간이 걸렸다. 올라갈 때 걸은 거리는? (단, 올라간 길과 내려온 길은 같다.)

① 2 km   ② 3 km   ③ 5 km
④ 6 km   ⑤ 10 km

28 중요도 ☐ 손도 못댐 ☐ 과정 실수 ☐ 틀린 이유:

둘레의 길이가 28 cm인 직사각형이 있다. 가로의 길이가 세로의 길이보다 4 cm 더 짧을 때, 가로의 길이를 구하여라.

29 중요도 ☐ 손도 못댐 ☐ 과정 실수 ☐ 틀린 이유:

어떤 물건의 원가에 이익을 20 % 붙여 정가를 정한 상품이 팔리지 않아 정가에서 600원을 할인하여 판매하였더니 원가에 대하여 5 %의 이익을 얻었다. 이 물건의 원가는?

① 1200원   ② 2000원   ③ 3200원
④ 4000원   ⑤ 5200원

12 순서쌍과 좌표

학습목표 · 순서쌍과 좌표를 이해한다.

기본 체크

01

다음 좌표평면에서 점 A, B, C, D, E, F의 좌표를 기호로 나타내어라.

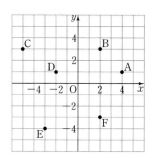

02

다음 점은 제몇 사분면 위의 점인지 말하여라.

(1) $A(-2, 1)$

(2) $B(4, -1)$

(3) $C(1, 0)$

(4) $D(-3, -2)$

핵심 정리

좌표평면 위의 점의 좌표

오른쪽 그림과 같은 좌표평면 위의 한 점 P에 대하여 순서쌍 (a, b)를 점 P의 좌표라 하고, 이것을 기호로 $P(a, b)$와 같이 나타낸다. 이때, a를 점 P의 x좌표, b를 점 P의 y좌표라고 한다.

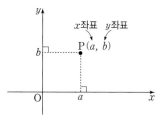

각 사분면 위에 있는 점의 좌표의 부호

점 $P(a, b)$가

① 제1사분면 위의 점이면
$a > 0, b > 0$

② 제2사분면 위의 점이면
$a < 0, b > 0$

③ 제3사분면 위의 점이면
$a < 0, b < 0$

④ 제4사분면 위의 점이면
$a > 0, b < 0$

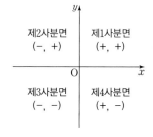

참고 대칭인 점의 좌표
점 (a, b)에 대하여
(1) x축에 대하여 대칭인 점의 좌표는 y좌표의 부호가 반대이므로
$(a, b) \Rightarrow (a, -b)$
(2) y축에 대하여 대칭인 점의 좌표는 x좌표의 부호가 반대이므로
$(a, b) \Rightarrow (-a, b)$
(3) 원점에 대하여 대칭인 점의 좌표는 x좌표, y좌표의 부호가 각각 반대이므로
$(a, b) \Rightarrow (-a, -b)$

대표예제

· 정답 및 풀이 34쪽

01 점 $A(2a-4, a+1)$은 x축 위의 점이고, 점 $B(-3b+6, 2b)$는 y축 위의 점일 때, 두 점 A, B와 원점 O를 꼭짓점으로 하는 삼각형 AOB의 넓이를 구하여라.

풀이 점 $A(2a-4,\ a+1)$은 x축 위의 점이므로

$a+1=0,\ a=\boxed{}$ $\quad\therefore A(\boxed{},\boxed{})$

점 $B(-3b+6,\ 2b)$는 y축 위의 점이므로

$-3b+6=0,\ b=\boxed{}$ $\quad\therefore B(\boxed{},\boxed{})$

따라서, 삼각형 AOB의 넓이는 $\dfrac{1}{2}\times\boxed{}\times 4=\boxed{}$

x축 위의 점이면 y좌표가 0이고, y축 위의 점이면 x좌표가 0이다. 또, 축은 어느 사분면에도 속하지 않는다.

(삼각형의 넓이)=$\dfrac{1}{2}\times$(밑변의 길이)$\times$(높이)

02 다음 〈보기〉 중 제4사분면 위에 있는 점의 개수를 구하여라.

보기

ㄱ. $(3, 2)$ ㄴ. $(-7, 5)$ ㄷ. $(3, -1)$

ㄹ. $\left(\dfrac{1}{2}, -3\right)$ ㅁ. $(-1, -5)$ ㅂ. $(-2, 0)$

풀이 제4사분면 위의 점은 x의 값의 부호는 $\boxed{}$이고, y의 값의 부호는 $\boxed{}$이다.

따라서, 제4사분면 위에 있는 점은 $\boxed{}$로 $\boxed{}$개이다.

제4사분면 위의 점이면 (x좌표)>0, (y좌표)<0

03 점 $P(xy,\ x-y)$가 제2사분면 위에 있을 때, 점 $Q(-y,\ x)$는 제몇 사분면 위의 점인지 구하여라.

풀이 점 $P(xy,\ x-y)$가 제2사분면 위의 점이므로 $xy\boxed{}0$, $x-y>0$

$x,\ y$는 서로 다른 부호를 갖고 $x-y>0$에서 $x>y$이므로 $x\boxed{}0$, $y<0$이다.

따라서, $-y>0$, $x\boxed{}0$이므로 점 $Q(-y,\ x)$는 제$\boxed{}$사분면 위의 점이다.

제2사분면 위의 점이면 (x좌표)<0, (y좌표)>0

04 점 $A(3a-1,\ -2b+4)$와 점 $B(-a,\ b-2)$가 원점에 대하여 대칭일 때, $a+b$의 값을 구하여라.

풀이 점 $A(3a-1,\ -2b+4)$와 점 $B(-a,\ b-2)$가 원점에 대하여 서로 대칭이므로 $x,\ y$의 값의 부호가 서로 반대이다.

$3a-1=a$에서 $2a=\boxed{}$ $\quad\therefore a=\boxed{}$

$-2b+4=-(b-2)$에서 $-2b+4=\boxed{}$

$-b=\boxed{}$ $\quad\therefore b=\boxed{}$

$\therefore a+b=\boxed{}$

한 점에서 x축 위에 수선을 그어 만나는 점에 대응하는 수가 그 점의 x좌표이고, y축 위에 수선을 그어 만나는 점에 대응하는 수가 그 점의 y좌표이다.

🐺 **순서쌍**

순서쌍은 두 수의 순서를 정해 놓은 것으로 두 수의 순서가 바뀌면 서로 다른 것을 의미한다.

순서가 있는 두 수를 짝지어 나타낸 것으로, 똑같은 두 수라도 순서가 다르면 서로 다른 순서쌍이다. 즉, $(1,\ 3)\neq(3,\ 1)$이다.

예를 들어 주사위 2개를 던질 때 나오는 경우를 순서쌍으로 나타내면 36가지이다.

01 다음 직선을 보고 물음에 답하여라.

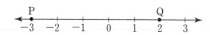

(1) 두 점 P, Q의 좌표를 기호로 나타내어라.

(2) 세 점 $R\left(-\dfrac{5}{2}\right)$, $S\left(\dfrac{1}{2}\right)$, $T(3)$을 수직선 위에
  나타내어라.

---

02 다음 중 옳지 <u>않은</u> 것은?

① x축 위의 점은 y좌표가 0이다.
② y축 위의 점은 x좌표가 0이다.
③ 좌표평면에서 원점의 좌표는 $(0,\ 0)$이다.
④ 점 $(0,\ -1)$은 x축 위에 있다.
⑤ 점 $(3,\ -2)$는 제4사분면에 속한다.

---

03 좌표평면 위의 세 점 $A(4,\ 1)$, $B(4,\ -1)$,
$C(-3,\ 1)$을 꼭짓점을 하는 삼각형 ABC의 넓이
를 구하여라.

---

04 점 $(-7,\ -2)$는 제몇 사분면 위의 점인가?

① 제1사분면   ② 제2사분면
③ 제3사분면   ④ 제4사분면
⑤ 어느 사분면에도 속하지 않는다.

---

05 다음 중 좌표평면 위의 점의 좌표와 그 점이 속하
는 사분면이 옳게 짝지어진 것은?

① $A(-2,\ -5)$: 제1사분면
② $B(-3,\ 4)$: 제2사분면
③ $C(0,\ 2)$: 제3사분면
④ $D(3,\ 3)$: 제4사분면
⑤ $E(-5,\ 0)$: 제5사분면

06 점 $P(a, b)$가 제1사분면 위의 점일 때, 다음 점은 제몇 사분면 위의 점인지 말하여라.

중요도 ☐ 손도 못댐 ☐ 과정 실수 ☐ 틀린 이유:

(1) $A(a, -b)$ (2) $B(-a, b)$

(3) $C(-a, -b)$ (4) $D(b, a)$

07 $ab>0$, $a+b<0$일 때, 점 $(-a, -b)$는 제몇 사분면 위의 점인가?

중요도 ☐ 손도 못댐 ☐ 과정 실수 ☐ 틀린 이유:

① 제1사분면   ② 제2사분면

③ 제3사분면   ④ 제4사분면

⑤ 어느 사분면에도 속하지 않는다.

08 점 $P(ab, a+b)$가 제1사분면 위의 점일 때, 좌표평면에서 점 $Q(a, -b)$는 제몇 사분면 위의 점인가?

중요도 ☐ 손도 못댐 ☐ 과정 실수 ☐ 틀린 이유:

① 제1사분면   ② 제2사분면

③ 제3사분면   ④ 제4사분면

⑤ y축 위

09 점 $P(2, 5)$와 x축, y축, 원점에 대하여 대칭인 점을 각각 Q, R, S라고 할 때, 네 점 P, Q, R, S를 꼭짓점으로 하는 사각형 PQSR의 넓이는?

중요도 ☐ 손도 못댐 ☐ 과정 실수 ☐ 틀린 이유:

① 10   ② 20   ③ 30

④ 40   ⑤ 50

시험에 꼭 나오는 문제

01 두 순서쌍 $(x-5, 6)$, $(7, 10-y)$가 서로 같을 때, $2x-y$의 값은?

① -12 ② -4 ③ 0
④ 12 ⑤ 20

02 다음 점을 오른쪽 좌표평면 위에 나타내어라.

(1) A $(1, 3)$

(2) B $(3, -2)$

(3) C $(-1, -5)$

(4) D $(-2, 1)$

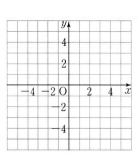

03 좌표평면 위의 점 $P(2a-1, a+3)$은 x축 위의 점이고, 점 $Q(-2b+4, 3b+1)$은 y축 위의 점일 때, $a+b$의 값은?

① -3 ② -2 ③ -1
④ 1 ⑤ 2

04 점 $A(5, -2)$에서 y축에 평행하게 그은 선이 x축과 만나는 점을 B라고 할 때, 점 B의 좌표를 구하여라.

중요도 ☐ 손도 못댐 ☐ 과정 실수 ☐ 틀린 이유:

05 다음 중 옳지 <u>않은</u> 것은?

① 점 $A(-1, 0)$은 x축 위에 있다.

② 점 $B\left(\dfrac{4}{3}, -5\right)$는 제2사분면 위의 점이다.

③ y축 위의 점의 x좌표는 항상 0이다.

④ 제3사분면 위의 점의 y좌표는 항상 음수이다.

⑤ 원점의 좌표는 $(0, 0)$이다.

중요도 ☐ 손도 못댐 ☐ 과정 실수 ☐ 틀린 이유:

06 좌표평면 위에 네 점 $A(-2, 0)$ $B(0, -4)$,
$C(2, 0)$, $D(0, 4)$를 나타내었을 때, 네 점을 꼭짓
점으로 하는 사각형 $ABCD$의 넓이를 구하여라.

중요도 ☐ 손도 못댐 ☐ 과정 실수 ☐ 틀린 이유:

07 다음 중 제4사분면 위의 점은?

① $A(1, 2)$ ② $B(2, -3)$

③ $C(0, 4)$ ④ $D(-4, -4)$

⑤ $E(-5, 6)$

중요도 ☐ 손도 못댐 ☐ 과정 실수 ☐ 틀린 이유:

08 점 $P(x, y)$가 제2사분면 위에 있을 때, 다음 중
항상 옳은 것은?

① $x+y>0$ ② $x-y>0$ ③ $xy<0$

④ $\dfrac{x}{y}>0$ ⑤ $y-2x<0$

09 $a>0$, $b<0$일 때, 점 $(a-b, ab)$는 제몇 사분면 위의 점인가?

① 제1사분면   ② 제2사분면
③ 제3사분면   ④ 제4사분면
⑤ 어느 사분면에도 속하지 않는다.

10 좌표평면 위의 점 $P(a, b)$가 제3사분면 위의 점일 때, 다음 점은 제몇 사분면 위의 점인지 말하여라.

(1) $Q(-a, -b)$ (2) $R(a, -b)$

11 좌표평면 위의 점 $A(a, b)$는 제2사분면 위의 점이고 점 $B(c, d)$는 제4사분면 위의 점일 때, 점 $C(ac, b-d)$와 같은 사분면 위에 있는 점은?

① $(-3, -1)$ ② $(7, -4)$ ③ $(0, 3)$
④ $(-5, 2)$ ⑤ $(2, 6)$

12 점 $A(1, -3)$과 원점에 대하여 대칭인 점이 $P(a, b)$일 때, 점 $Q(-b, a)$는 제몇 사분면 위의 점인가?

① 제1사분면   ② 제2사분면
③ 제3사분면   ④ 제4사분면
⑤ x축 위

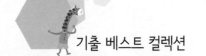

13 점 $P(5, -1)$과 x축에 대하여 대칭인 점을 $Q(a, b)$, y축에 대하여 대칭인 점을 $R(c, d)$라고 할 때, $ac - bd$의 값을 구하여라.

중요도 ☐ 손도 못댐 ☐ 과정 실수 ☐ 틀린 이유:

14 두 점 $A(5, a)$, $B(b, -3)$이 x축에 대하여 대칭일 때, $a + b$의 값을 구하여라.

중요도 ☐ 손도 못댐 ☐ 과정 실수 ☐ 틀린 이유:

15 점 $P(2, 6)$과 y축에 대하여 대칭인 점 A와 두 점 $B(3, 0)$, $C(0, 6)$을 꼭짓점으로 하는 삼각형 ABC의 넓이를 구하여라.

중요도 ☐ 손도 못댐 ☐ 과정 실수 ☐ 틀린 이유:

16 점 $A(a, b)$가 제2사분면 위의 점일 때, 점 A와 y축에 대하여 대칭인 점을 B, 원점에 대하여 대칭인 점을 C, x축에 대하여 대칭인 점을 D라고 한다. 사각형 $ABCD$의 넓이가 28일 때, ab의 값을 구하여라.

중요도 ☐ 손도 못댐 ☐ 과정 실수 ☐ 틀린 이유:

17 두 점 $A(-3a+5, 6)$과 $B(a-b, 2b-4)$가 x축에 대하여 대칭일 때, 점 $C(-4a-1, b)$와 y축에 대하여 대칭인 점은 제몇 사분면 위의 점인지 구하여라.

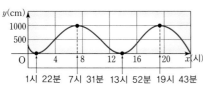

13 그래프

기본 체크

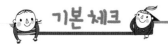

※ 다음은 어느 날 해수면의 높이 변화를 그래프로 나타낸 것이다. 물음에 답하여라.

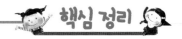

핵심 정리

그래프

(1) 변수: 여러 가지로 변하는 값을 나타내는 문자
(2) 그래프: 두 변수 x와 y 사이의 관계를 만족하는 순서쌍 (x, y)를 좌표평면 위에 나타낸 것

참고 그래프는 여러 자료를 분석하여 한눈에 그 변화를 알아볼 수 있게 하며 점, 직선, 곡선 등으로 표현된다.

그래프의 이해

(1) 좌표평면에 두 양 사이의 관계를 그래프로 나타내면 두 양의 변화 관계를 알아보기 쉽다.
(2) 그래프를 해석할 때에는 x의 값의 변화에 따라 y의 값의 변화를 살펴볼 수 있고, 거꾸로 y의 값을 중심으로 x의 값의 변화를 살펴볼 수도 있다. 또한, 증가, 감소와 같은 변화의 전체 경향을 파악하는 것도 가능하다.

01

이날 오전에 해수면이 가장 높았을 때의 높이를 구하여라.

02

이날 해수면이 가장 낮아진 후 다시 가장 낮아질 때까지 걸린 시간을 구하여라.

대표예제

• 정답 및 풀이 36쪽

01 길이가 10 cm인 양초에 불을 붙이면 1시간마다 2 cm씩 길이가 일정하게 줄어든다. 양초에 불을 붙인지 x시간 후의 양초의 길이를 y cm라 할 때, 다음 물음에 답하여라.

(1) 다음 표를 완성하여라.

x(시간)	0	1	2	3	4	5
y(cm)	10	8				

(2) x와 y 사이의 관계를 그래프로 나타내어라.

풀이 (1) 표를 완성하면 다음과 같다.

x(시간)	0	1	2	3	4	5
y(cm)	10	8				

(2) 표에서 순서쌍 (x, y)를 구하면 $(0, 10)$, $(1, 8)$, ☐, ☐, ☐, ☐이고, 이 순서쌍을 좌표로 하는 점을 좌표평면에 나타내고 그 점들을 선으로 연결하면 오른쪽 그림과 같다.

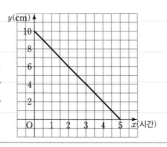

시간의 간격을 좁혀 나가면 그래프의 점들 사이의 간격이 점점 좁아진다. 이와 같은 방법으로 시간의 간격을 계속 좁혀 나가면 그 그래프는 선으로 그려진다.

02 다음 그림과 같은 그릇에 각각 일정한 속력으로 물을 채울 때, x초 후의 그릇에 담긴 물의 높이를 y cm할 때, x와 y 사이의 관계를 그래프로 나타내어라.

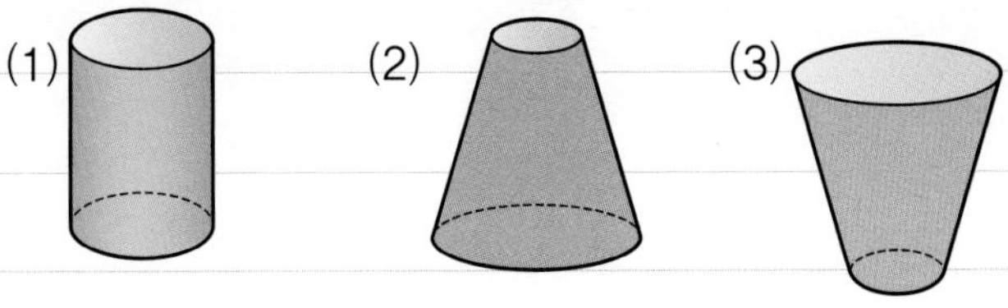

(1)　　　(2)　　　(3)

풀이 (1) 그릇이 원기둥 모양이므로 단면이 일정하여 일정한 속력으로 물을 채울 때 물의 높이도 [　　　] 높아진다.

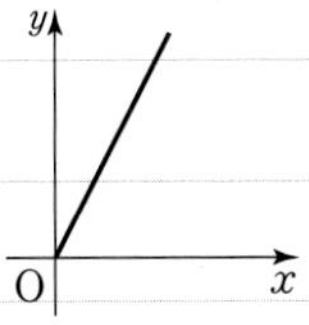

(2) 그릇의 단면이 위로 올라갈수록 좁아지므로 물의 높이는 [　　　] 높아진다.

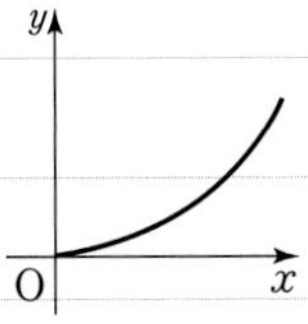

(3) 그릇의 단면이 위로 올라갈수록 넓어지므로 물의 높이는 [　　　] 높아진다.

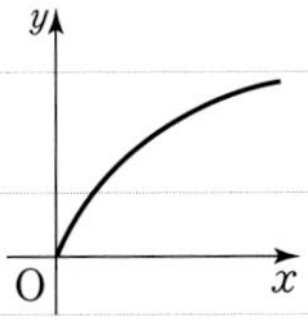

> 그릇의 모양에 따라 수면의 높이의 증가 상태가 어떻게 변화될지를 생각해 보도록 한다.

03 오른쪽 그래프는 소형 드론의 시간에 따른 이동 거리를 나타낸 것이다. 출발 후 x초일 때의 이동 거리를 y m라 할 때, 다음을 구하여라.

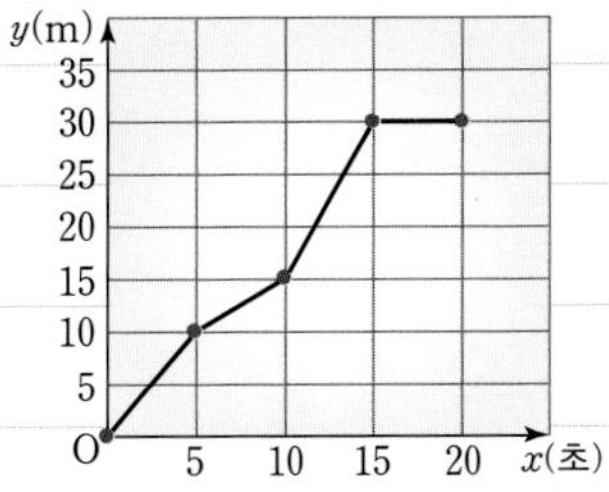

(1) 출발 후 10초 동안 이동한 거리

(2) 출발 후 10 m를 이동하는 데 걸린 시간

(3) 이동하지 않고 멈춰 있던 시간

풀이 (1) 그래프에서 $x=10$일 때 y의 값은 [　　] 이므로 출발 후 10초 동안 이동한 거리는 [　　] m 이다.

(2) 그래프에서 $y=10$일 때 x의 값은 [　　] 이므로 출발 후 10 m를 이동하는 데 걸린 시간은 [　　] 초이다.

(3) 그래프로부터 출발 후 [　　] 초 동안 이동하고 그 후 [　　] 초 동안은 멈춰 있었음을 알 수 있다.

> 주어진 그래프를 바르게 해석할 수 있도록 한다.
> 특히, 이동하지 않고 멈춰 있는 경우는 이동 거리에 변화가 없는 경우임을 이해한다.

주기적인 변화를 보여주는 그래프

실생활에서 시간이 지남에 따라 어떤 양의 변화 상태를 보여 주는 그래프 중에 그 모양이 반복되는 그래프가 있다. 이처럼 반복되는 그래프를 주기 그래프라고 한다. 그래프가 한 번 반복하는 데 걸리는 시간을 그 그래프의 주기라고 하고, 이 주기마다 그래프가 반복된다. 오른쪽 그림은 주기 그래프의 예를 보여 준다.

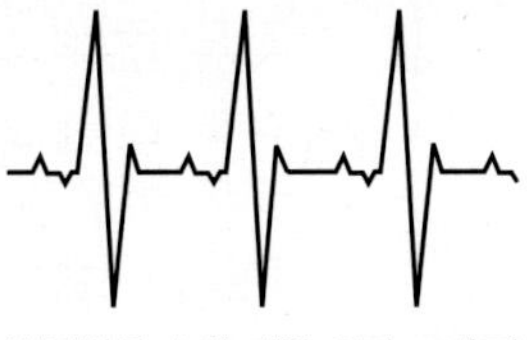

〈심장박동 수에 대한 주기 그래프〉

어떤 교과서에나 나오는 문제

중요도 ☐ 손도 못댐 ☐ 과정 실수 ☐ 틀린 이유:

01 다음 그림과 같은 모양의 그릇에 매분 일정한 물을 넣을 때, x초 후의 그릇에 담긴 물의 높이를 y cm라 하자. x와 y 사이의 관계를 그래프로 나타내어라.

(1) 　　(2)

[02~03] 오른쪽 그림은 민서가 집에서 2 km 떨어져 있는 공원에 다녀올 때, 시간에 따른 거리의 변화를 나타낸 그래프이다. 다음 물음에 답하라.

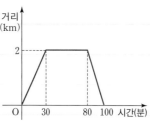

중요도 ☐ 손도 못댐 ☐ 과정 실수 ☐ 틀린 이유:

02 공원까지 다녀오는 데 걸린 시간을 구하라.

중요도 ☐ 손도 못댐 ☐ 과정 실수 ☐ 틀린 이유:

03 공원에 머무른 시간을 구하라.

중요도 ☐ 손도 못댐 ☐ 과정 실수 ☐ 틀린 이유:

04 오른쪽 그림은 어떤 오토바이의 이동 시간과 속력을 나타내는 그래프이다. 보기의 설명 중에서 옳은 것을 모두 골라라.

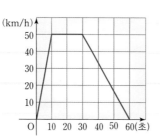

> **보기**
> ㄱ. 오토바이의 최대 속력은 시속 50 km이다.
> ㄴ. 오토바이는 출발 이후 20초에 정지해 있었다.
> ㄷ. 출발 이후 30초부터 오토바이의 속력은 계속 감소하였다.

[05~08] 다음은 하루 동안 어느 해변에서의 시간과 해수면의 높이를 나타내는 그래프이다. 그래프를 보고 물음에 답하여라.

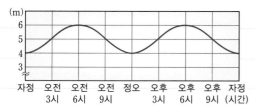

중요도 ☐ 손도 못댐 ☐ 과정 실수 ☐ 틀린 이유:

05 해수면의 높이가 가장 높을 때, 해수면의 높이와 그 시각을 각각 구하여라.

중요도 ☐ 손도 못댐 ☐ 과정 실수 ☐ 틀린 이유:

06 해수면의 높이가 가장 낮을 때, 해수면의 높이와 그 시각을 각각 구하여라.

중요도 ☐ 손도 못댐 ☐ 과정 실수 ☐ 틀린 이유:

07 해수면의 높이가 5 m인 순간은 하루에 몇 번 일어나는지 구하여라.

중요도 ☐ 손도 못댐 ☐ 과정 실수 ☐ 틀린 이유:

08 정오 이후에 해수면의 높이가 5 m 이상인 시각은 언제부터 언제까지인지 구하여라.

시험에 꼭 나오는 문제

중요도 ☐ 손도 못댐 ☐ 과정 실수 ☐ 틀린 이유:

01 다음 그림과 같은 모양의 그릇에 매분 일정한 물을 넣을 때, x초 후의 그릇에 담긴 물의 높이를 y cm 할 때, x와 y 사이의 관계를 그래프로 나타내어라.

(1)   (2)

[02~03] 다음 그림은 시계 방향으로 운행하는 대관람차가 운행을 시작한 후 시간과 대관람차 A칸의 높이 사이의 관계를 나타낸 그래프이다. 그래프를 보고, 물음에 답하여라.

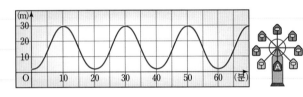

중요도 ☐ 손도 못댐 ☐ 과정 실수 ☐ 틀린 이유:

02 운행을 시작한 지 50분 후 A칸의 높이를 구하여라.

중요도 ☐ 손도 못댐 ☐ 과정 실수 ☐ 틀린 이유:

03 운행을 시작한 지 40분 동안 대관람차는 몇 바퀴 회전했는지 구하여라.

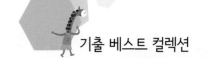
[04~07] 유림이는 수도꼭지를 틀어 물탱크에 물을 받았
다. 수도꼭지를 잠근 후 몇 분이 지나고 물탱크 마개를 뽑
아 물탱크에 담긴 물을 모두 뺐다. 다음 그림은 이 상황에
대한 시간과 물탱크에 담긴 물의 양을 나타내는 그래프이
다. 그래프를 보고, 물음에 답하여라.

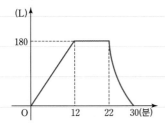

04 수도꼭지를 잠근 시간은 몇 분 후인지, 그때의 물탱
크에 담긴 물의 양은 얼마인지 각각 구하여라.

중요도 ☐ 손도 못댐 ☐ 과정 실수 ☐ 틀린 이유:

05 물탱크 마개를 뽑은 시간은 몇 분 후인지 구하여라.

중요도 ☐ 손도 못댐 ☐ 과정 실수 ☐ 틀린 이유:

06 물탱크 마개를 뽑은 후 물이 모두 빠지는 데 걸린
시간은 얼마인지 구하여라.

중요도 ☐ 손도 못댐 ☐ 과정 실수 ☐ 틀린 이유:

07 22분부터 30분까지의 그래프의 모양이 곡선으로
표현되는 까닭을 설명하여라.

중요도 ☐ 손도 못댐 ☐ 과정 실수 ☐ 틀린 이유:

[08~09] 다음은 어느 지역의 하루 동안의 기온 변화를 나타낸 그래프이다. 물음에 답하여라.

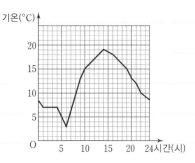

중요도 ☐ 손도 못댐 ☐ 과정 실수 ☐ 틀린 이유:

08 기온이 가장 높을 때와 기온이 가장 낮을 때의 차를 구하여라.

중요도 ☐ 손도 못댐 ☐ 과정 실수 ☐ 틀린 이유:

09 기온이 높아지는 시간은 몇 시부터 몇 시까지인지 구하여라.

중요도 ☐ 손도 못댐 ☐ 과정 실수 ☐ 틀린 이유:

10 오른쪽 그림은 형은 동생이 출발한 지 10초 후에 출발하여 달리기를 할 때, 이동 시간과 이동 거리를 나타내는 그래프이다. 형이 동생을 추월하는 시간은 형이 출발한 지 몇 초 후인지 구하여라.

중요도 ☐ 손도 못댐 ☐ 과정 실수 ☐ 틀린 이유:

11 오른쪽 그래프는 준희가 산책하는 과정을 그래프로 나타낸 것이다. 그래프를 보고 준희가 산책하는 상황을 이야기로 만들어라.

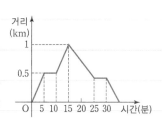

중요도 ☐ 손도 못댐 ☐ 과정 실수 ☐ 틀린 이유:

12 오른쪽 그림은 어떤 자동차의 시간에 따른 속력의 변화를 나타낸 그래프이다. 보기 중에서 옳은 것을 모두 골라라.

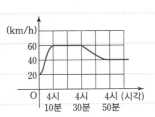

> **보기**
>
> ㄱ. 자동차의 최대 속력은 시속 60 km이다.
> ㄴ. 오후 4시 10분부터 오후 4시 30분까지 자동차의 속력은 일정하다.
> ㄷ. 오후 4시 50분 이후 자동차는 정지해 있었다.

중요도 ☐ 손도 못댐 ☐ 과정 실수 ☐ 틀린 이유:

13 오른쪽 그래프는 예림이가 산책을 나갔을 때 시간에 따른 집으로부터의 거리의 변화를 나타낸 것이다. 다음 중 옳지 <u>않</u>은 것은?

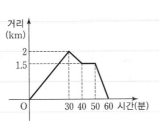

① 산책 중간에 휴식 시간은 10분이다.
② 가장 멀리 갔을 때의 거리는 2 km이다.
③ 휴식 후 움직인 거리는 1.5 km이다.
④ 산책하는 데 걸린 총 시간은 60분이다.
⑤ 산책하는 데 움직인 총 거리는 6 km 이다.

중요도 ☐ 손도 못댐 ☐ 과정 실수 ☐ 틀린 이유:

14 다음은 민서와 준희가 전동킥보드를 타고 집에서 3.6 km 떨어진 박물관까지 갈 때, 이동한 시간과 이동 거리의 관계를 나타낸 그래프이다. 민서는 쉬지 않고 박물관까지 가고 준희는 가다가 중간에 잠깐 쉬고 다시 박물관으로 갔다. 민서와 준희 중 누가 몇 분 더 빨리 박물관에 도착했는지 구하여라.

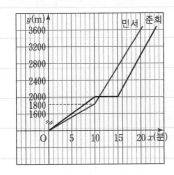

14 정비례 관계

학습목표 • 정비례 관계를 이해하고, 그 관계를 표, 식, 그래프로 나타낼 수 있다.

기본 체크

01

다음 중 y가 x에 정비례하는 것은?

① $y = x - 5$
② $\dfrac{y}{x} = -6$
③ $y = \dfrac{2}{x} + 3$
④ $y = \dfrac{3}{x}$
⑤ $xy = -5$

02

정비례 관계 $y = x$에 대하여 그 그래프를 좌표평면에 그려라.

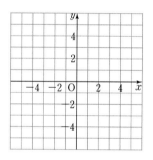

핵심 정리

🎯 정비례 관계

(1) 정비례: 두 변수 x, y에 대하여 x의 값이 2배, 3배, 4배, …로 변함에 따라 y의 값도 2배, 3배, 4배, …로 변하는 관계가 있을 때, y는 x에 정비례한다고 한다.

(2) 정비례 관계식: y가 x에 정비례할 때, x와 y 사이의 관계식은 $y = ax$ ($a \neq 0$인 상수) 꼴이다.

참고 y가 x에 정비례할 때, $\dfrac{y}{x}$ ($x \neq 0$)의 값은 항상 일정하다. 즉, $y = ax$에서 $\dfrac{y}{x} = a$ (일정)

🎯 정비례 관계 $y = ax$ ($a \neq 0$)의 그래프

	$a > 0$일 때	$a < 0$일 때
모양	$y = ax$, $(1, a)$ 그래프	$y = ax$, $(1, a)$ 그래프
특징	• 오른쪽 위로 향하는 직선이다. • 제1사분면, 제3사분면을 지난다. • x의 값이 증가하면 y의 값도 증가한다.	• 오른쪽 아래로 향하는 직선이다. • 제2사분면, 제4사분면을 지난다. • x의 값이 증가하면 y의 값은 감소한다.

대표예제

• 정답 및 풀이 38쪽

01

어느 지하철역에 설치되어 있는 자동길은 초속 0.6 m로 움직인다고 한다. 준희가 이 자동길 위에 가만히 서 있을 때, x초 동안 움직인 거리를 y m라 하자. 다음 물음에 답하여라.

(1) x와 y 사이의 관계를 나타내는 식을 구하여라.

(2) 30 m를 움직이는 데 몇 초가 걸리는지 구하여라.

풀이 (1) (움직인 거리) ＝ (자동길의 속력) × (시간)이므로 [ ] 이다.

(2) [ ] 에 $y=30$을 대입하면 [ ] ＝30이므로 $x=$ [ ]

따라서 [ ]초가 걸린다.

---

02 $x>0$일 때, 정비례 관계 $y=3x$의 그래프가 지나는 사분면을 구하여라.

풀이 정비례 관계 $y=3x$의 그래프는

제 [ ]사분면과 제 [ ]사분면을 지나는 직선이다.

이때, x의 값이 $x>0$이므로 제 [ ]사분면만 지나는 직선이다.

$y=ax$의 그래프는 원점을 지나는 직선으로
$a>0$이면 제1, 3사분면
$a<0$이면 제2, 4사분면을 지난다.

---

03 오른쪽 그림은 정비례 관계 $y=ax$의 그래프이다. 상수 a의 값을 구하여라.

풀이 점 (-2, [ ])을 지나는 직선이므로

$x=-2$, $y=$ [ ]을 대입하면

[ ] ＝$-2a$ ∴ $a=$ [ ]

그래프가 지나는 점의 좌표를 관계식에 대입하면 등식이 성립한다.

---

04 시속 70 km로 달리는 자동차로 x시간 동안 달린 거리가 y km일 때, 420 km를 가는데 걸리는 시간을 구하여라.

풀이 (거리) ＝ (속력) × (시간)이므로

$y=70x$ ($x\geq0$)

$y=70x$에 $y=$ [ ]을 대입하면

[ ] ＝$70x$

∴ $x=$ [ ] (시간)

따라서, 시속 70 km로 420 km를 가는데 [ ]시간이 걸린다.

(속력) ＝ $\dfrac{(거리)}{(시간)}$

(거리) ＝ (속력) × 시간

(시간) ＝ $\dfrac{(거리)}{(속력)}$

정비례 관계 $y=ax$ $(a\neq0)$의 그래프

• $|a|$의 값이 커질수록 y축에 가까운 직선이 된다.

• a의 값의 부호에 관계없이 항상 점 $(1, a)$를 지난다.

01 다음 중 x의 값이 2배, 3배, 4배, …로 변함에 따라 y의 값도 2배, 3배, 4배, …로 변하는 것을 모두 고르면? (정답 2개)

① $y = \dfrac{x}{5} - 1$　　② $6x - y = 0$

③ $x + y = -3$　　④ $y = \dfrac{x}{10}$

⑤ $y - x = -2$

02 y가 x에 정비례하고, $x = 12$일 때, $y = 10$이다. $x = -6$일 때, y의 값은?

① -5　　② -1　　③ 1

④ 5　　⑤ 12

03 x의 값이 $-2, -1, 0, 1, 2$일 때, 정비례 관계 $y = 2x$에 대하여 다음 표를 완성하고, 점 (x, y)의 좌표를 오른쪽 좌표평면 위에 나타내어라.

x	-2	-1	0	1	2
y					

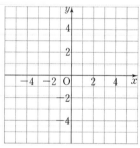

04 $y = ax\ (a \neq 0)$의 그래프에 대한 설명으로 옳지 <u>않은</u> 것은?

① 점 $(1, a)$를 지난다.

② 원점을 지나는 직선이다.

③ $a > 0$일 때, 제1사분면과 제3사분면을 지난다.

④ $a < 0$일 때, x의 값이 증가하면 y의 값은 감소한다.

⑤ a의 절댓값이 작을수록 y축에 가까워진다.

05 중요도 ☐ 손도 못댐 ☐ 과정 실수 ☐ 틀린 이유:

$y=-3x$의 그래프 위에 있지 <u>않는</u> 점은?

① $(-3, 9)$ ② $(1, -3)$ ③ $(0, 0)$
④ $(2, 6)$ ⑤ $(-4, 12)$

06 중요도 ☐ 손도 못댐 ☐ 과정 실수 ☐ 틀린 이유:

오른쪽 그림과 같이
$y=kx$의 그래프가 삼각
형 AOB의 넓이를 이등
분할 때, 상수 k의 값을
구하여라.

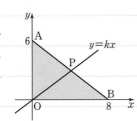

07 중요도 ☐ 손도 못댐 ☐ 과정 실수 ☐ 틀린 이유:

톱니의 수가 각각 24개, 36개인 두 톱니바퀴 A,
B가 서로 맞물려 돌고 있다. 톱니바퀴 A가 x번
회전하면 톱니바퀴 B는 y번 회전한다고 할 때, x와
y 사이의 관계식을 바르게 나타낸 것은?

① $y=\dfrac{1}{2}x$ ② $y=\dfrac{2}{3}x$ ③ $y=x$
④ $y=\dfrac{3}{2}x$ ⑤ $y=2x$

08 중요도 ☐ 손도 못댐 ☐ 과정 실수 ☐ 틀린 이유:

어느 마트에서 고구마를 100 g당 590원에 판매
한다. 고구마 x g의 가격이 y원이라고 할 때, 무게
가 3 kg인 고구마의 가격을 구하여라.

---

01 다음 중 y가 x에 정비례하는 것은?

① 두 대각선의 길이가 각각 x cm, y cm인 마름모의 넓이는 50 cm²이다.

② 50 L의 물이 담겨 있는 물통에 매분 2 L의 물을 넣을 때, x분 후에 물통에 담겨 있는 물의 양은 y L이다.

③ 200 g의 물에 소금 x g을 넣어 만든 소금물의 농도는 y %이다.

④ 90 km를 시속 x km 달린 시간은 y시간이다.

⑤ 길이 1 m의 무게가 20 g인 철사 x m의 무게는 y g이다.

---

02 y가 x에 정비례하고, $x=6$일 때, $y=90$이다. x와 y 사이의 관계식은?

① $y=-6x$ ② $y=-2x$ ③ $y=\dfrac{1}{2}$

④ $y=\dfrac{3}{2}x$ ⑤ $y=6x$

---

03 y가 x가 정비례하고, $x=6$일 때, $y=-180$이다. $y=2$일 때, x의 값은?

① -6 ② -3 ③ -2

④ -1 ⑤ $-\dfrac{2}{3}$

---

04 $y=-2x$에 대한 설명으로 보기에서 옳은 것을 모두 고른 것은?

> **보기**
> ㄱ. y는 x에 정비례한다.
> ㄴ. x의 값이 2배가 되면 y의 값이 $\dfrac{1}{2}$배가 된다.
> ㄷ. x의 값이 3일 때, y의 값은 -6이다.

① ㄱ   ② ㄴ   ③ ㄷ

④ ㄱ, ㄴ   ⑤ ㄱ, ㄷ

• 정답 및 풀이 39쪽

05 다음 중 그 그래프가 y축에 가장 가까운 것은?

① $y=-x$ ② $y=-\dfrac{1}{2}x$ ③ $y=2x$

④ $y=\dfrac{1}{3}x$ ⑤ $y=-3x$

중요도 ☐ 손도 못댐 ☐ 과정 실수 ☐ 틀린 이유:

06 $y=-5x$의 그래프에 대한 설명 중 옳지 <u>않은</u> 것은?

① 제2사분면과 제4사분면을 지난다.
② $y=-x$의 그래프보다 y축에 가깝다.
③ 원점을 지나는 직선이다.
④ 점 $(1, -5)$와 점 $(2, -10)$을 지난다.
⑤ x의 값이 증가하면 y의 값도 증가한다.

중요도 ☐ 손도 못댐 ☐ 과정 실수 ☐ 틀린 이유:

07 $y=\dfrac{2}{3}x$의 그래프가 $(a, -6)$을 지날 때, a의 값은?

① 27   ② 9   ③ 3
④ -9 ⑤ -27

중요도 ☐ 손도 못댐 ☐ 과정 실수 ☐ 틀린 이유:

08 $y=5x$의 그래프가 점 $(a, 2a-6)$을 지날 때, 상수 a의 값을 구하여라.

중요도 ☐ 손도 못댐 ☐ 과정 실수 ☐ 틀린 이유:

중요도 ☐ 손도 못댐 ☐ 과정 실수 ☐ 틀린 이유:

09 $y=\dfrac{1}{3}x$의 그래프에 대한 다음 설명 중 옳지 <u>않은</u> 것은?

① 점 $(3, 1)$을 지난다.
② 원점을 지나는 직선이다.
③ x의 값이 증가하면 y의 값도 증가한다.
④ $y=-\dfrac{1}{3}x$의 그래프와 y축에 대하여 대칭이다.
⑤ $x=2$일 때의 y의 값과 $x=6$일 때의 y의 값이 서로 같다.

중요도 ☐ 손도 못댐 ☐ 과정 실수 ☐ 틀린 이유:

10 $y=ax$의 그래프가 오른쪽 그림과 같을 때, 이 그래프 위에 있지 <u>않은</u> 점은?

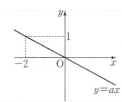

① $(2, -1)$
② $\left(-1, \dfrac{1}{2}\right)$
③ $(-4, 2)$
④ $\left(5, -\dfrac{3}{2}\right)$
⑤ $(6, -3)$

중요도 ☐ 손도 못댐 ☐ 과정 실수 ☐ 틀린 이유:

11 $y=ax$의 그래프가 오른쪽 그림과 같을 때, 상수 b의 값을 구하여라.

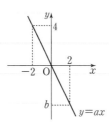

중요도 ☐ 손도 못댐 ☐ 과정 실수 ☐ 틀린 이유:

12 오른쪽 그림은 $y=ax$의 그래프이다. 이 그래프 위의 두 점 A, B에서 x축에 수직인 직선을 그으면 x축과 만나는 점의 좌표는 P$(1, 0)$, Q$(5, 0)$이다. 사각형 APQB의 넓이가 6일 때, 상수 a의 값을 구하여라.

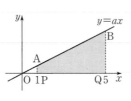

중요도 ☐ 손도 못댐 ☐ 과정 실수 ☐ 틀린 이유:

13 서울에서 대전까지 시속 120 km로 달리면 2시간이 걸린다. 같은 길을 시속 80 km로 달리면 몇 시간이 걸리는가?

① 3시간   ② 4시간   ③ 6시간
④ 8시간   ⑤ 10시간

중요도 ☐ 손도 못댐 ☐ 과정 실수 ☐ 틀린 이유:

14 어느 가게에서는 구입한 금액 x원의 5 %를 포인트 y점으로 적립해 준다. 이 가게에서 22000원짜리 케익을 구입하면 적립되는 포인트는 몇 점인지 구하여라.

중요도 ☐ 손도 못댐 ☐ 과정 실수 ☐ 틀린 이유:

15 오른쪽 그림과 같은 직사각형 ABCD에서 점 P가 점 A를 출발하여 점 D까지 움직인다. 점 P가 움직인 거리를 x cm, 그때의 삼각형 ABP의 넓이를 y cm²라고 한다. 점 P가 3 cm를 이동하였을 때, △ABP의 넓이를 구하여라.
(단, $x > 0$)

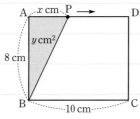

중요도 ☐ 손도 못댐 ☐ 과정 실수 ☐ 틀린 이유:

16 은영이와 범준이는 둘레의 길이가 x km인 호숫가에서 자전거를 타고 있다. 호숫가의 한 지점에서 서로 반대 방향으로 동시에 출발하여 은영이는 시속 2 km, 범준이는 시속 4 km로 달릴 때, 처음으로 서로 만나는 시간을 y시간 후라고 한다. 호수의 둘레가 5 km라면 처음으로 서로 만나는 시간은 몇 시간 후인지 구하여라.

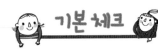

15 반비례 관계

기본 체크

01

다음 중 y가 x에 반비례하는 것을 모두 고르면? (정답 2개)

① $y=5-x$ ② $xy=-3$

③ $x+y=1$ ④ $\dfrac{x}{y}=-2$

⑤ $y=\dfrac{6}{x}$

02

반비례 관계 $y=-\dfrac{2}{x}$에 대하여 그 그래프를 좌표평면에 그려라.

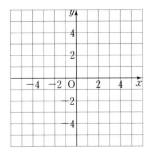

핵심 정리

✷ 반비례 관계

(1) 반비례: 두 변수 x, y에 대하여 x의 값이 2배, 3배, 4배, …로 변함에 따라 y의 값은 $\dfrac{1}{2}$배, $\dfrac{1}{3}$배, $\dfrac{1}{4}$배, …로 변하는 관계가 있을 때, y는 x에 반비례한다고 한다.

(2) 반비례 관계식: y가 x에 반비례할 때, x와 y 사이의 관계식은 $y=\dfrac{a}{x}$ ($a\neq 0$인 상수) 꼴이다.

참고 y가 x에 반비례할 때, xy의 값은 항상 일정하다. 즉, $y=\dfrac{a}{x}$에서 $xy=a$(일정)

✷ 반비례 관계 $y=\dfrac{a}{x}$ $(a\neq 0)$의 그래프

	$a>0$일 때	$a<0$일 때
모양	$y=\dfrac{a}{x}$, 점 $(1, a)$	$y=\dfrac{a}{x}$, 점 $(1, a)$
특징	• 제1사분면, 제3사분면을 지난다. • $x<0$, $x>0$의 범위에서 x의 값이 증가하면 y의 값은 감소한다.	• 제2사분면, 제4사분면을 지난다. • $x<0$, $x>0$의 범위에서 x의 값이 증가하면 y의 값도 증가한다.

대표예제

• 정답 및 풀이 40쪽

01

넓이가 $50\ \mathrm{cm}^2$인 삼각형의 밑변의 길이를 $x\ \mathrm{cm}$, 높이를 $y\ \mathrm{cm}$라 할 때, 다음 물음에 답하여라.

(1) x와 y 사이의 관계를 나타내는 식을 구하여라.

(2) 높이가 20 cm일 때, 밑변의 길이를 구하여라.

풀이 (1) (삼각형의 넓이)$=\dfrac{1}{2}\times$(밑변의 길이)$\times$(높이)이므로 $\boxed{}=50$ 이다.

따라서 $y=\boxed{}$ 이다.

(2) $y=\boxed{}$ 에 $y=20$을 대입하면 $20=\boxed{}$ 에서 $20x=\boxed{}$ 이므로 $x=\boxed{}$

따라서 밑변의 길이는 $\boxed{}$ cm이다.

02 오른쪽 그래프가 나타내는 반비례 관계식을 구하여라.

풀이 $y=\dfrac{a}{x}$의 그래프가 점 $(2,\,4)$를 지나므로

$x=2$, $y=\boxed{}$ 를 대입하면 $\boxed{}=\dfrac{a}{2}$, $a=\boxed{}$ 이므로

반비례 관계식은 $y=\boxed{}$ 이다.

반비례 관계식은 $y=\dfrac{a}{x}$ 꼴이다.

03 오른쪽 그림은 $y=-\dfrac{3}{2}x$, $y=\dfrac{a}{x}$의 그래프이다.

점 A의 x좌표가 -2일 때, 상수 a의 값을 구하여라.

풀이 점 A가 $y=-\dfrac{3}{2}x$의 그래프 위의 점이므로

$y=-\dfrac{3}{2}x$에 $x=\boxed{}$ 를 대입하면

$y=-\dfrac{3}{2}\times(\boxed{})=\boxed{}$

따라서, 점 A의 좌표는 $(-2,\boxed{})$이다.

또, 점 A가 $y=\dfrac{a}{x}$의 그래프 위의 점이므로 $y=\dfrac{a}{x}$에 $(-2,\boxed{})$을 대입하면

$\boxed{}=\dfrac{a}{-2}$ $\quad\therefore a=\boxed{}$

점 A는 두 그래프 모두 위의 점이다.

04 어느 공장에는 4명이 12시간 동안 일하여 끝낼 수 있는 일이 있다. x명이 함께 일해 y시간에 끝낼 수 있다고 할 때, 다음 물음에 답하여라.

(1) x와 y 사이의 관계를 나타내는 식을 구하여라.

(2) 6명이 함께 일해 끝내는 데 몇 시간이 걸리는지 구하여라.

풀이 (1) $x=4$일 때 $y=120$이므로 $xy=48$ $\quad\therefore y=\boxed{}$

(2) 6명이 일을 하므로 $y=\boxed{}$ 에 $x=6$을 대입하면 $y=\dfrac{\boxed{}}{6}=\boxed{}$ (시간)

따라서, 6명이 함께 일해 끝내는 데 $\boxed{}$ 시간이 걸린다.

전체 일의 양은 48로 일정하다.

🐱 **반비례 관계 $y=\dfrac{a}{x}$ $(a\neq 0)$의 그래프**

- 좌표축에 점점 가까워지면서 한없이 뻗어 나가지만 만나지는 않는다.
- $|a|$의 값이 작을수록 좌표축에 가까워진다.
- a의 값의 부호에 관계없이 항상 점 $(1,a)$를 지난다.

어떤 교과서에나 나오는 문제

01 다음 중 x의 값이 2배, 3배, 4배, …가 될 때, y의 값은 $\frac{1}{2}$배, $\frac{1}{3}$배, $\frac{1}{4}$배, …로 변하는 것은?

① $y = x - \frac{4}{5}$ ② $x + y = 7$ ③ $y = 3 - x$

④ $y = \frac{x}{6}$ ⑤ $xy = -\frac{1}{9}$

02 y가 x에 반비례하고, $x = 3$일 때, $y = -6$이다. $x = 9$일 때, y의 값은?

① -3 ② -2 ③ -1

④ 1 ⑤ 2

03 x의 값이 -4, -2, -1, $-\frac{1}{2}$, $\frac{1}{2}$, 1, 2, 4일 때, 반비례 관계 $y = \frac{2}{x}$에 대하여 다음 표를 완성하고, 점 (x, y)의 좌표를 오른쪽 좌표평면 위에 나타내어라.

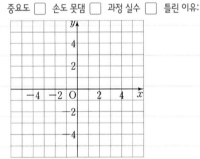

x	-4	-2	-1	$-\frac{1}{2}$	$\frac{1}{2}$	1	2	4
y								

04 다음 중 $y = \frac{a}{x}$의 그래프의 개형은? (단, $a < 0$)

① 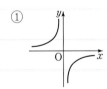   ②

③ 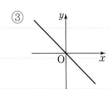   ④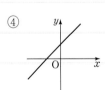

⑤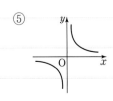

05 $y = -\dfrac{6}{x}$의 그래프가 두 점 $(2, a)$, $\left(b, -\dfrac{1}{3}\right)$을

지날 때, $a + b$의 값은?

① -18 　　② -15 　　③ 6

④ 15 　　⑤ 18

06 $y = ax$의 그래프와 $y = \dfrac{b}{x}$의 그래프가 만나는 두

점의 좌표가 $(3, -12)$, $(c, 12)$일 때, $b + ac$의
값은?

① -36 　　② -24 　　③ -12

④ 12 　　⑤ 24

07 어느 과수원에서 5명이 함께 작업하면 사과를 모두
수확하는데 10일이 걸린다고 한다. 이 일을 이틀
만에 완성하려면 몇 명이 일해야 하는가? (단, 사람
들의 작업 속도는 모두 같다.)

① 15명 　　② 18명 　　③ 20명

④ 22명 　　⑤ 25명

08 자동차로 240 km 떨어진 곳까지 가는데 시속
$x \text{ km}$로 y시간이 걸린다고 할 때, 시속 80 km로
달려 도착하는 데 걸리는 시간을 구하여라.

01 다음 중 y가 x에 반비례하는 것은?

① 10%의 소금물 x g 속에 들어 있는 소금의 양
은 y g이다.
② 20 km의 거리를 시속 x km로 달릴 때, 걸린
시간은 y시간이다.
③ 밑변의 길이가 x cm, 높이가 6 cm인 삼각형
의 넓이는 y cm^{2}이다.
④ 한 권에 1000원 하는 공책 x권의 값은 y원이다.
⑤ 가로의 길이가 x cm, 세로의 길이가 5 cm인
직사각형의 둘레의 길이는 y cm이다.

02 y가 x에 반비례하고, $x=3$일 때, $y=5$이다. x와 y
사이의 관계식은?

① $y=\dfrac{1}{x}$ ② $y=\dfrac{3}{x}$ ③ $y=\dfrac{5}{x}$

④ $y=\dfrac{15}{x}$ ⑤ $y=\dfrac{18}{x}$

03 y가 x에 반비례하고, $x=-6$일 때, $y=2$이다.
$y=3$일 때, x의 값을 구하여라.

04 $y=\dfrac{4}{x}$의 그래프에 대한 설명으로 옳지 <u>않은</u> 것을

모두 고르면? (정답 2개)

① 원점을 지난다.
② 점 $(-2, -2)$를 지난다.
③ 제1, 3사분면을 지난다.
④ y의 값은 $y \geq 0$이다.
⑤ x의 값이 증가하면 y의 값이 감소한다.

중요도 ☐ 손도 못댐 ☐ 과정 실수 ☐ 틀린 이유:

05 $y=-\dfrac{6}{x}$의 그래프 위에 있는 점 (x, y) 중에서 x

좌표와 y좌표가 모두 정수인 점의 개수는?

① 4　　　　② 6　　　　③ 8

④ 10　　　⑤ 12

중요도 ☐ 손도 못댐 ☐ 과정 실수 ☐ 틀린 이유:

06 $y=\dfrac{a}{x}$의 그래프가 점 $(3, -2)$를 지날 때, 다음

중 이 그래프 위에 있는 점은?

① $(-1, 6)$　　② $(4, -3)$　　③ $(2, 3)$

④ $(-2, -3)$　⑤ $(1, 6)$

중요도 ☐ 손도 못댐 ☐ 과정 실수 ☐ 틀린 이유:

07 $y=\dfrac{a}{x}$의 그래프가 점 $(2, -8)$, $(-4, b)$를 지날

때, $a+b$의 값은?

① -16　　　② -12　　　③ 4

④ 12　　　⑤ 16

중요도 ☐ 손도 못댐 ☐ 과정 실수 ☐ 틀린 이유:

08 $y=\dfrac{a}{x}$의 그래프가 오른쪽

그림과 같을 때, 점 A의 y
좌표는?

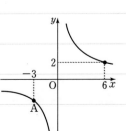

① -8　　　② -6

③ -4　　　④ -2

⑤ -1

시험에 꼭 나오는 문제

중요도 ☐ 손도 못댐 ☐ 과정 실수 ☐ 틀린 이유:

09 $y=ax$의 그래프가 점 $(-3, 9)$를 지나고, $y=\dfrac{a}{x}$ 의 그래프가 점 $(6, b)$를 지날 때, $a-2b$의 값은?

① -3　　② -2　　③ -1

④ $\dfrac{1}{2}$　　⑤ 1

중요도 ☐ 손도 못댐 ☐ 과정 실수 ☐ 틀린 이유:

10 $y=\dfrac{a}{x}$의 그래프가 오른쪽 그림과 같을 때, 상수 k의 값을 구하여라.

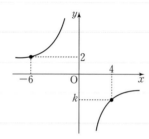

중요도 ☐ 손도 못댐 ☐ 과정 실수 ☐ 틀린 이유:

11 오른쪽 그림과 같이 $y=ax$, $y=-\dfrac{8}{x}$의 그래 프가 점 P에서 만날 때, 상수 a의 값을 구하여라.

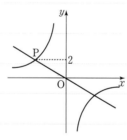

중요도 ☐ 손도 못댐 ☐ 과정 실수 ☐ 틀린 이유:

12 오른쪽 그림은 점 $(-10, 2)$를 지나는 $y=\dfrac{k}{x}\ (x<0)$의 그래프 이다. 이 그래프 위의 한 점 $P(a, b)$에서 x축에 수직으로 내린 점을 A라고 할 때, 점 A의 좌표는 $(-4, 0)$이다. 이때, 삼각형 AOP의 넓이를 구하여라.

중요도 ☐ 손도 못댐 ☐ 과정 실수 ☐ 틀린 이유:

13 50000원을 하루에 x원씩 쓰면 y일 동안 쓸 수 있다고 한다. 하루에 2500원씩 쓸 때, 50000원을 며칠 동안 전부 쓸 수 있는가?

① 10일 ② 15일 ③ 20일
④ 25일 ⑤ 30일

중요도 ☐ 손도 못댐 ☐ 과정 실수 ☐ 틀린 이유:

14 서로 맞물려 도는 톱니바퀴 A, B가 있다. A의 톱니의 수는 30개이고, 1분에 15번 회전한다. B의 톱니의 수는 x개이고, 1분에 y번 회전한다. B의 톱니바퀴의 수가 45개라면 톱니바퀴 B는 1분 동안 몇 번 회전하는가?

① 10번 ② 15번 ③ 20번
④ 25번 ⑤ 30번

중요도 ☐ 손도 못댐 ☐ 과정 실수 ☐ 틀린 이유:

15 어느 공장에서 하루에 생산해야 하는 제품의 양은 60대의 기계를 10시간 동안 가동시켜야 생산할 수 있다고 한다. 그런데 기계를 새로 15대 더 들여와서 75대의 기계로 생산하게 되었다. 하루 동안 생산해야 하는 제품을 만드는데 걸리는 시간을 구하여라.

중요도 ☐ 손도 못댐 ☐ 과정 실수 ☐ 틀린 이유:

16 800 g인 케이크를 x명이 똑같이 나누어 먹을 때, 한 사람이 먹을 수 있는 케이크의 양은 y g이라고 한다. 이 케이크를 25명이 나누어 먹을 때, 한 사람이 먹을 수 있는 케이크의 양은?

① 20 g ② 25 g ③ 30 g
④ 32 g ⑤ 40 g

01 중요도 ☐ 손도 못댐 ☐ 과정 실수 ☐ 틀린 이유:

다음 중 두 변수 x와 y 사이의 관계가 나머지 넷과 <u>다른</u> 하나는?

① x %의 소금물 y g에 들어 있는 소금의 양은 20 g이다.
② 직각을 낀 두 변의 길이가 각각 6 cm, x cm인 직각삼각형의 넓이는 y cm²이다.
③ 시속 x km로 3시간 동안 달린 거리는 y km이다.
④ 한 변의 길이가 x cm인 정사각형의 둘레의 길이는 y cm이다.
⑤ 1분 동안의 맥박 수가 85일 때, x분 동안의 총 맥박 수는 y이다.

02 중요도 ☐ 손도 못댐 ☐ 과정 실수 ☐ 틀린 이유:

y가 x에 반비례하고 $x=-4$일 때, $y=9$이다. $x=6$일 때, y의 값은?

① -12　　② -6　　③ 6
④ 12　　⑤ 18

03 중요도 ☐ 손도 못댐 ☐ 과정 실수 ☐ 틀린 이유:

점 P($3a+6$, $a-2$)는 x축 위의 점이고,
점 Q($-b+4$, $2b-1$)은 y축 위의 점일 때, $a+b$의 값은?

① $\dfrac{3}{2}$　　② 2　　③ $\dfrac{5}{2}$
④ 3　　⑤ 6

04 중요도 ☐ 손도 못댐 ☐ 과정 실수 ☐ 틀린 이유:

두 순서쌍 $(3, 5-x)$, $(y+4, 3)$이 서로 같을 때, $2x-y$의 값은?

① 3　　② 4　　③ 5
④ 6　　⑤ 7

05 중요도 ☐ 손도 못댐 ☐ 과정 실수 ☐ 틀린 이유:

좌표평면 위의 세 점 A($-3, 4$), B($1, 0$), C($0, 4$)를 꼭짓점으로 하는 삼각형 ABC의 넓이를 구하여라.

06 중요도 ☐ 손도 못댐 ☐ 과정 실수 ☐ 틀린 이유:

$a<0$, $b>0$일 때, 점 P($a-b$, ab)는 제몇 사분면 위의 점인가?

① 제1사분면　　② 제2사분면
③ 제3사분면　　④ 제4사분면
⑤ 어느 사분면에도 속하지 않는다.

• 정답 및 풀이 43쪽

07
중요도 ☐ 손도 못댐 ☐ 과정 실수 ☐ 틀린 이유:

두 점 A(a, 4), B(-3, b)가 x축에 대하여 대칭일 때, $a+b$의 값을 구하여라.

08
중요도 ☐ 손도 못댐 ☐ 과정 실수 ☐ 틀린 이유:

점 P(4, 3)과 x축, y축, 원점에 대하여 대칭인 점을 각각 S, Q, R라고 할 때, 네 점 P, Q, R, S를 꼭짓점으로 하는 사각형 PQRS의 넓이를 구하여라.

09
중요도 ☐ 손도 못댐 ☐ 과정 실수 ☐ 틀린 이유:

$y=2x$의 그래프 위에 있지 않은 점은?

① (2, 4)　　　② (-1, -2)　③ (0, 0)
④ (2, 6)　　　⑤ (4, 8)

10
중요도 ☐ 손도 못댐 ☐ 과정 실수 ☐ 틀린 이유:

오른쪽 그림은 재희가 자전거를 타고 여행을 하는 동안 이동 시간과 이동한 거리 사이의 관계를 나타낸 그래프이다. 다음 중 그래프의 각

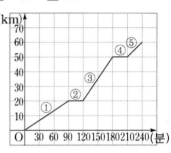

구간 ①~⑤에 대한 설명으로 옳지 <u>않은</u> 것을 모두 고르면? (정답 2개)

① 90분 동안 30 km를 이동하였다.
② 30분 동안 정지하였다.
③ 60분 동안 30 km를 이동하였다.
④ 30분 동안 50 km를 이동하였다.
⑤ 30분 동안 10 km를 이동하였다.

11
중요도 ☐ 손도 못댐 ☐ 과정 실수 ☐ 틀린 이유:

다음 중 $y=\dfrac{2}{x}$의 그래프에 대한 설명으로 옳지 <u>않은</u> 것은?

① 원점을 지나지 않는다.
② 점 (-2, -1)을 지난다.
③ 제1, 3사분면을 지난다.
④ y의 값은 $y \geq 0$이다.
⑤ x의 값이 증가하면 y의 값이 감소한다.

12
중요도 ☐ 손도 못댐 ☐ 과정 실수 ☐ 틀린 이유:

다음 중 그 그래프가 제3사분면을 지나지 <u>않는</u> 것을 모두 고르면? (정답 2개)

① $y=-x$　　　② $y=\dfrac{2}{3}x$　　　③ $y=3x$

④ $y=-\dfrac{2}{x}$　　　⑤ $y=\dfrac{1}{x}$

13 중요도 ☐ 손도 못댐 ☐ 과정 실수 ☐ 틀린 이유:

오른쪽 그림에서 $y=-ax$ 의 그래프가 삼각형 AOB의 넓이를 반으로 나눌 때, 양수 a의 값은?

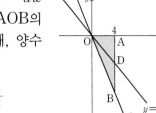

① $\dfrac{1}{3}$ ② $\dfrac{1}{2}$

③ $\dfrac{2}{3}$ ④ $\dfrac{3}{4}$

⑤ $\dfrac{4}{3}$

14 중요도 ☐ 손도 못댐 ☐ 과정 실수 ☐ 틀린 이유:

다음 조건을 만족하는 그래프의 식을 구하여라.

> ㈎ 원점에 대하여 대칭인 한 쌍의 곡선이다.
> ㈏ 점 $(4,\,-4)$를 지난다.

15 중요도 ☐ 손도 못댐 ☐ 과정 실수 ☐ 틀린 이유:

오른쪽 그림과 같은 그래프에서 점 P의 y좌표를 구하면?

① $\dfrac{1}{2}$ ② 1

③ $\dfrac{3}{2}$ ④ 2

⑤ $\dfrac{5}{2}$

16 중요도 ☐ 손도 못댐 ☐ 과정 실수 ☐ 틀린 이유:

오른쪽 그래프는 $y=\dfrac{a}{x}$의 그래프이고, 점 P와 점 Q의 y좌표의 차가 4일 때, 상수 a의 값을 구하여라.

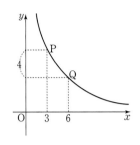

17 중요도 ☐ 손도 못댐 ☐ 과정 실수 ☐ 틀린 이유:

오른쪽 그림과 같이 그래프 위의 한 점 A를 지나고 x축과 수직인 직선과 x축이 만나는 점을 B라 하자. 삼각형 OAB의 넓이가 9일 때, 상수 a의 값은?

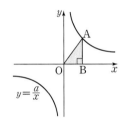

① 6 ② 9

③ 12 ④ 15 ⑤ 18

18 중요도 ☐ 손도 못댐 ☐ 과정 실수 ☐ 틀린 이유:

$y=ax$의 그래프와 $y=\dfrac{b}{x}$의 그래프가 만나는 두 점의 좌표가 $(1,\,-4)$, $(-1,\,c)$일 때, $a+b-c$의 값은?

① -12 ② -8 ③ -4

④ 4 ⑤ 8

19 중요도 ☐ 손도 못댐 ☐ 과정 실수 ☐ 틀린 이유:

600 L의 물이 들어 있는 물통이 있다. 1분에 5 L의 물을 x분간 퍼내었더니 y L가 남았다. x와 y 사이의 관계식은?

① $y=5x$　　　　② $y=5x-600$

③ $y=5x+600$　　④ $y=-5x+600$

⑤ $y=-5x-600$

20 중요도 ☐ 손도 못댐 ☐ 과정 실수 ☐ 틀린 이유:

톱니수가 24개인 큰 톱니바퀴가 한 번 회전할 때, 톱니수가 x개인 작은 톱니바퀴는 y번 회전한다. 이때, x와 y 사이의 관계식을 구하여라.

21 중요도 ☐ 손도 못댐 ☐ 과정 실수 ☐ 틀린 이유:

깊이가 1 m인 텅 빈 연못에 호스로 일정한 양의 물을 넣었더니 1분마다 수면의 높이가 4 cm씩 올라갔다. 물을 넣기 시작하여 x분 후의 수면의 높이를 y cm라 할 때, 다음 물음에 답하여라.

⑴ x와 y 사이의 관계식을 구하여라.

⑵ 연못에 물을 가득 채우는데 걸리는 시간을 구하여라.

22 중요도 ☐ 손도 못댐 ☐ 과정 실수 ☐ 틀린 이유:

부피가 48 cm^{3}인 직육면체의 밑면의 가로, 세로의 길이가 각각 x cm, 6 cm이고, 높이가 y cm라 한다. 가로의 길이가 4 cm일 때, 높이를 구하여라.

23 중요도 ☐ 손도 못댐 ☐ 과정 실수 ☐ 틀린 이유:

1200 g의 떡을 x명이 똑같이 나누어 먹을 때, 한 사람이 먹은 떡의 양을 y g이라 한다. 이 떡을 16명이 나누어 먹을 때, 한 사람이 먹을 수 있는 떡의 양을 구하여라.

24 중요도 ☐ 손도 못댐 ☐ 과정 실수 ☐ 틀린 이유:

어떤 일을 4명이 함께 하면 완성하는데 3일이 걸린다고 한다. 이 일을 2일만에 완성하려면 몇 명이 일을 해야 하는지 구하여라. (단, 사람들의 작업 속도는 모두 같다.)

그래프 연습장

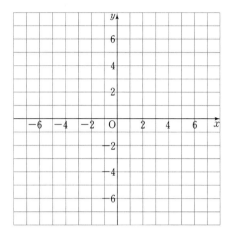
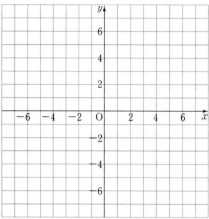
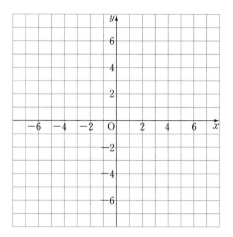

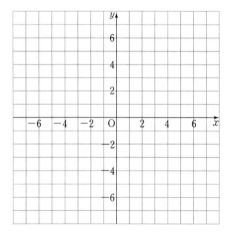
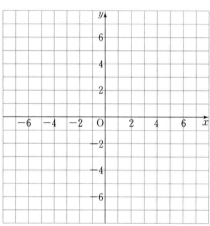
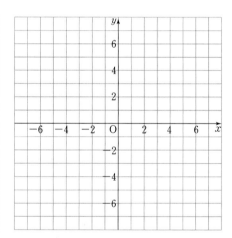

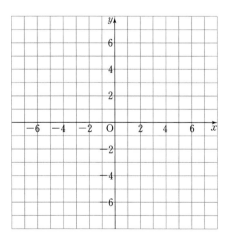
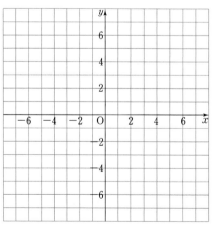
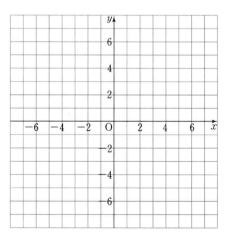

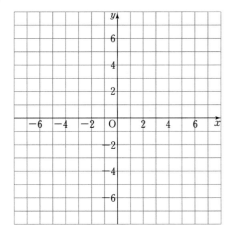
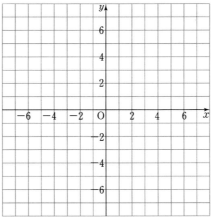
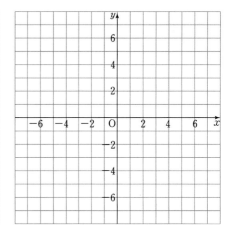

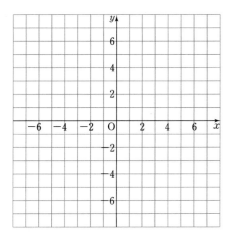
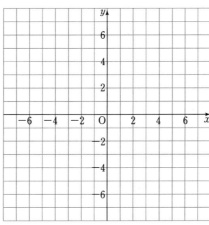
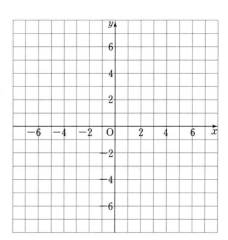

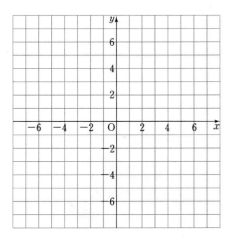
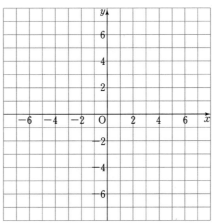
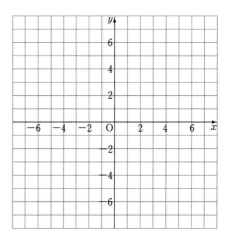

MEMO

한눈에 보는 정답/오답 체크

01 소인수분해

	번호	O/X
어떤 교과서에나 나오는 문제	1	
	2	
	3	
	4	
	5	
	6	
	7	
	8	
	9	
	10	
시험에 꼭 나오는 문제	1	
	2	
	3	
	4	
	5	
	6	
	7	
	8	
	9	
	10	
	11	
	12	
	13	
	14	
	15	
	16	

02 최대공약수

	번호	O/X
어떤 교과서에나 나오는 문제	1	
	2	
	3	
	4	
	5	
	6	
	7	
	8	
	9	
	10	
시험에 꼭	1	
	2	
	3	
	4	
	5	
	6	
	7	
	8	
	9	

	번호	O/X
나오는 문제	10	
	11	
	12	
	13	
	14	
	15	
	16	
	17	

03 최소공배수

	번호	O/X
어떤 교과서에나 나오는 문제	1	
	2	
	3	
	4	
	5	
	6	
	7	
	8	
시험에 꼭 나오는 문제	1	
	2	
	3	
	4	
	5	
	6	
	7	
	8	
	9	
	10	
	11	
	12	
	13	
	14	
	15	
	16	
	17	

04 정수와 유리수

	번호	O/X
어떤 교과서에나 나오는 문제	1	
	2	
	3	
	4	
	5	
	6	
	7	
	8	
	9	
	10	

	번호	O/X
시험에 꼭 나오는 문제	1	
	3	
	4	
	5	
	6	
	7	
	8	
	9	
	10	
	11	
	12	
	13	
	14	
	15	
	16	
	17	
	18	
	19	
	20	

05 정수와 유리수의 덧셈과 뺄셈

	번호	O/X
어떤 교과서에나 나오는 문제	1	
	2	
	3	
	4	
	5	
	6	
	7	
시험에 꼭 나오는 문제	1	
	3	
	4	
	5	
	6	
	7	
	8	
	9	
	10	
	11	
	12	
	13	
	14	
	15	
	16	
	17	

06 정수와 유리수의 곱셈과 나눗셈

	번호	O/X
어떤 교과서에나 나오는 문제	1	
	2	
	3	
	4	
	5	
	6	
	7	
	8	

	번호	O/X
시험에 꼭 나오는 문제	1	
	2	
	3	
	4	
	5	
	6	
	7	
	8	
	9	
	10	
	11	
	12	
	13	
	14	
	15	
	16	
	17	
	18	

07 문자의 사용과 식의 값

	번호	O/X
어떤 교과서에나 나오는 문제	1	
	2	
	3	
	4	
	5	
	6	
	7	
	8	
	9	
	10	
시험에 꼭 나오는 문제	1	
	2	
	3	
	4	
	5	
	6	
	7	
	8	
	9	
	10	
	11	
	12	
	13	
	14	
	15	
	16	
	17	
	18	

08 일차식과 그 계산

	번호	O/X
어떤 교과서에나 나오는	1	
	2	
	3	
	4	
	5	
	6	

Mathematics

교과서 노트

중학 수학 ① (상)

정답 및 해설

Mathematics

교과서
노트

중학 수학 **1** (상)

Ⅰ. 자연수의 성질

1 소인수분해

본문 pp. 6~13

기본 체크

01 (1) 3^3 (2) $5^2 \times 7^3$ (3) $2^5 \times 13$ (4) $2 \times 3^3 \times 11^2$

02 소수 : $5, 19, 31$, 합성수 : $4, 27$

대표 예제

01 ① 작은 소인수부터 차례로 나누다가 몫이 소수가 되면 그만 나눈다.

$\boxed{2}\,)\,20$
$\boxed{2}\,)\,10$
5

② 나눈 소수들과 마지막 몫을 곱으로 연결한다. 이때 같은 소인수의 곱은 거듭제곱을 사용하여 나타낸다.

$20 = \boxed{2^2} \times 5$

02 24를 소인수분해하면

$24 = 2^3 \times \boxed{3}$ 이므로

소인수는 2, $\boxed{3}$ 이다.

$\boxed{2}\,)\,24$
$\boxed{2}\,)\,12$
$\boxed{2}\,)6$
$\boxed{3}$

03 50을 소인수분해하면 $50 = \boxed{2 \times 5^2}$ 이다.

소인수 $\boxed{2}$ 의 지수가 1로 홀수이므로 지수를 짝수로 만들기 위해 $\boxed{2}$ 를 한 번 더 곱해주면 $\boxed{100}$ 이고 $\boxed{10}$ 의 제곱이 된다.

따라서, 곱해야 하는 가장 작은 자연수는 $\boxed{2}$ 이다.

04 48을 소인수분해하면 $48 = 2^4 \times \boxed{3}$ 이므로

2^4의 약수와 $\boxed{3}$ 의 약수를 각각 곱해서 48의 약수를 구한다.

$\times$	1	$\boxed{3}$
1	$1 \times 1 = 1$	$\boxed{1 \times 3 = 3}$
2	$2 \times 1 = 2$	$\boxed{2 \times 3 = 6}$
2^2	$2^2 \times 1 = 4$	$\boxed{2^2 \times 3 = 12}$
2^3	$2^3 \times 1 = 8$	$\boxed{2^3 \times 3 = 24}$
2^4	$2^4 \times 1 = 16$	$\boxed{2^4 \times 3 = 48}$

따라서, 48의 약수는

$1, 2, 4, 8, 16, \boxed{3, 6, 12, 24, 48}$ 이다.

05 40을 소인수분해하면 $40 = 2^3 \times \boxed{5}$ 이므로

40의 약수의 개수는

$(3+1) \times (\boxed{1}+1) = \boxed{8}$ (개)이다.

어떤 교과서에나 나오는 문제

출제율 100% 기본기 쌓기

01 ③	02 85	03 ②	04 ③	05 ④
06 ⑤	07 1, 2, 3, 4, 6, 9, 12, 18, 36			08 12
09 ⑤	10 ④			

01 ③ $2 \times 2 \times 2 \times 2 = 2^4$

02 $2^a = 16$, $3^4 = b$에서

$a = 4$, $b = 81$이므로

$a + b = 85$이다.

03 ② 소수인 2는 짝수이다.

04 ③ 8의 약수는 1, 2, 4, 8의 4개이므로 합성수이다.

05 $2\,)\,116$
$2\,)58$
29

$116 = 2^2 \times 29$이므로 116의 소인수는 2와 29이다.

06 $2\,)\,52$
$2\,)\,26$
13

$52 = 2^2 \times 13$이고 어떤 자연수의 제곱이 되기 위해서는 지수가 짝수이어야 한다.

따라서, 곱할 수 있는 가장 작은 자연수는 13이다.

07 $2\,)\,36$
$2\,)\,18$
$3\,)9$
3

$36 = 2^2 \times 3^2$이므로 약수는

$\times$	1	3	3^2
1	1×1	1×3	1×3^2
2	2×1	2×3	2×3^2
2^2	$2^2 \times 1$	$2^2 \times 3$	$2^2 \times 3^2$

1, 2, 3, 4, 6, 9, 12, 18, 36이다.

08 $2^3 \times 5^2$의 약수는 다음과 같다.

×	1	5	5^2
1	1×1	1×5	1×5^2
2	2×1	2×5	2×5^2
2^2	$2^2 \times 1$	$2^2 \times 5$	$2^2 \times 5^2$
2^3	$2^3 \times 1$	$2^3 \times 5$	$2^3 \times 5^2$

따라서, 약수의 개수는 $(3+1) \times (2+1) = 4 \times 3 = 12$(개)

09
$$
\begin{array}{r}
2\,)\,60 \\
\hline
2\,)\,30 \\
\hline
3\,)\,15 \\
\hline
5
\end{array}
$$
$60 = 2^2 \times 3 \times 5$이므로
약수는 개수는
$(2+1) \times (1+1) \times (1+1) = 3 \times 2 \times 2 = 12$(개)이다.

10 □의 지수를 △라 하면
$(2+1) \times (\triangle+1) = 12$이므로
$3 \times (\triangle+1) = 12$
$(\triangle+1) = 4$
$\therefore \triangle = 3$
따라서, 가장 작은 자연수는 $2^3 = 8$이다.

시험에 꼭 나오는 문제　　　　　기출 베스트 컬렉션

01 ④	02 ⑤	03 ②	04 ③	05 $2^3 \times 3^3$
06 ③	07 ③	08 ①	09 39	
10 1, 2, 3, 4, 6, 8, 12, 16, 24, 32, 48, 96				11 ②
12 ④	13 24	14 ②	15 12	16 ③

01 ① $5+5 = 5 \times 2$ 　　② $a \times a \times b \times b \times b = a^2 \times b^3$
③ $2 \times 2 \times 2 = 2^3$ 　　⑤ $3 \times 3 \times 3 \times 3 \times 3 = 3^5$

02 한 번 접으면 2겹, 두 번 접으면 2^2, 세 번 접으면 2^3과 같이 접은 횟수가 밑이 2인 거듭제곱의 지수가 되므로 10번 접으면 2^{10}이다. 따라서, 1024겹이다.

03 ① 소수 중 2는 짝수이다.
③ 1은 소수도 합성수도 아니다.
④ 23은 소수이다.
⑤ 가장 작은 합성수는 4이다.

05
$$
\begin{array}{r}
2\,)\,216 \\
\hline
2\,)\,108 \\
\hline
2\,)\,54 \\
\hline
3\,)\,27 \\
\hline
3\,)\,9 \\
\hline
3
\end{array}
$$
$\therefore 216 = 2^3 \times 3^3$

06
$$
\begin{array}{r}
2\,)\,120 \\
\hline
2\,)\,60 \\
\hline
2\,)\,30 \\
\hline
3\,)\,15 \\
\hline
5
\end{array}
$$
$120 = 2^3 \times 3 \times 5$이므로 120의 소인수는 2, 3, 5이다.

07 주어진 수들을 소인수분해하여 소인수를 알아보면
① $12 = 2^2 \times 3$이므로 소인수는 2, 3
② $27 = 3^3$이므로 소인수는 3
③ $45 = 3^2 \times 5$이므로 소인수는 3, 5
④ $54 = 2 \times 3^3$이므로 소인수는 2, 3
⑤ $72 = 2^3 \times 3^2$이므로 소인수는 2, 3

08 48을 소인수분해하면
$48 = 2^4 \times 3$이므로 지수가 1로 홀수인 소인수 3을 곱하면 12의 제곱이 된다.
따라서, 곱해야 하는 가장 작은 자연수는 3이다.

09
$$
\begin{array}{r}
2\,)\,156 \\
\hline
2\,)\,78 \\
\hline
3\,)\,39 \\
\hline
13
\end{array}
$$
$156 = 2^2 \times 3 \times 13$이므로 어떤 자연수의 제곱이 되기 위해서는 $3 \times 13 = 39$를 곱해야 한다.

10
$$
\begin{array}{r}
2\,)\,96 \\
\hline
2\,)\,48 \\
\hline
2\,)\,24 \\
\hline
2\,)\,12 \\
\hline
2\,)\,6 \\
\hline
3
\end{array}
$$
$96 = 2^5 \times 3$이므로 약수는

×	1	3
1	1×1	1×3
2	2×1	2×3
2^2	$2^2 \times 1$	$2^2 \times 3$
2^3	$2^3 \times 1$	$2^3 \times 3$
2^4	$2^4 \times 1$	$2^4 \times 3$
2^5	$2^5 \times 1$	$2^5 \times 3$

1, 2, 3, 4, 6, 8, 12, 16, 24, 32, 48, 96이다.

11 240을 소인수분해하면 $240 = 2^4 \times 3 \times 5$이므로 약수가 아닌 것은 ②이다.

12 소인수분해하였을 때, 지수가 2, 3, 1이므로 약수의 개수는 $(2+1) \times (3+1) \times (1+1) = 24$(개)이다.

13 360을 소인수분해하면
$360 = 2^3 \times 3^2 \times 5$이므로

약수의 개수는
$(3+1) \times (2+1) \times (1+1) = 24$(개)이다.

14 420을 소인수분해하면
$420 = 2^2 \times 3 \times 5 \times 7$이므로
약수의 개수는
$(2+1) \times (1+1) \times (1+1) \times (1+1) = 24$(개)

15 $\dfrac{96}{n}$이 자연수가 되려면 n은 96의 약수이어야 한다.
즉, 자연수 n의 개수는 96의 약수의 개수와 같다.
96을 소인수분해하면 $96 = 2^5 \times 3$
따라서, 96의 약수의 개수는
$(5+1) \times (1+1) = 12$(개)이므로
구하는 자연수 n의 개수는 12개이다.

16 a는 1과 2가 될 수 없으므로
가장 작은 소인수는 $a=3$이고 약수의 개수가 12개이므로
$(2+1) \times (b+1) = 12$에서
$b+1 = 4$, $b=3$이다.
따라서, $a+b = 3+3 = 6$이다.

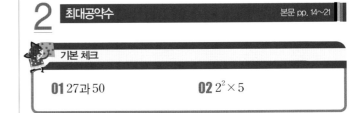

2 최대공약수

본문 pp. 14~21

기본 체크

01 27과 50

02 $2^2 \times 5$

대표 예제

01 두 수의 공약수로 나누고, 나누어 준 공약수를 모두 곱한다.

```
 2 )18   30
 3 ) 9   15
     3    5
```

따라서, 최대공약수는 $2 \times \boxed{3} = \boxed{6}$

02 두 수 a, b의 공약수는 $\boxed{최대공약수}$의 약수와 같고,
두 수의 최대공약수가 14이므로
구하는 공약수는 $\boxed{14}$의 약수 1, $\boxed{2, 7, 14}$와 같다.

03 12의 소인수가 2와 $\boxed{3}$이므로
20보다 크고 30보다 작은 자연수 중에서 12와 서로소인 수는 2
또는 $\boxed{3}$을 약수로 갖지 않아야 한다.
따라서, 구하는 수는 23, $\boxed{25, 29}$이다.

04
```
 2 )16   24   32
 2 ) 8   12   16
 2 ) 4    6    8
     2    3    4
```
따라서, 최대공약수는 $2 \times 2 \times \boxed{2} = \boxed{8}$이다.

05 33을 나누어 3이 남으면 나누어떨어지는 수는 30이고
94를 나누어 4가 남으면 나누어떨어지는 수는 $\boxed{90}$이고
110을 나누어 5가 남으면 나누어떨어지는 수는 105이다.
30, $\boxed{90}$, 105의 $\boxed{최대공약수}$를 구하면
```
 3 )30   90   105
 5 )10   30    35
     2    6     7
```
따라서, 구하는 가장 큰 수는 $3 \times \boxed{5} = \boxed{15}$이다.

01 ④	02 ③	03 ⑤	04 ①
05 1, 2, 3, 4, 6, 12	06 10	07 6	08 ③
09 112	10 ④		

01 어떤 두 수의 공약수는 24의 약수이다.
따라서, 공약수는 1, 2, 3, 4, 6, 8, 12, 24이다.

02 36과 48의 공약수는 최대공약수의 약수이므로
36과 48의 최대공약수를 구하면
$$2\underline{)36\quad 48}$$
$$2\underline{)18\quad 24}$$
$$3\underline{)\ 9\quad 12}$$
$$\quad\ \ 3\quad\ \ 4$$
에서 $2\times2\times3=12$이다.
12의 약수는 1, 2, 3, 4, 6, 12이므로 가장 큰 수는 12이다.

03 ⑤ 25의 약수는 1, 5, 25이고 169의 약수는 1, 13, 169이므로
공약수는 1뿐이다. 따라서, 서로소이다.

04 두 수 $2^2\times3\times5^2$과 $2\times5\times7$의 최대공약수는 공통인 소인수 중
지수가 작은 수의 곱이므로 2×5이다.

05 두 수를 같은 수로 나누어 자연수가 되게 하는 수는 두 수의 공약
수이다.
48의 약수는 1, 2, 3, 4, 6, 8, 12, 16, 24, 48이고
60의 약수는 1, 2, 3, 4, 5, 6, 10, 12, 15, 20, 30, 60이므로
공약수는 1, 2, 3, 4, 6, 12이다.
[다른풀이]
두 수의 최대공약수는 12이고
공약수는 최대공약수 12의 약수 1, 2, 3, 4, 6, 12이다.

06
$$2\qquad\qquad\times5\times5$$
$$2\times2\quad\ \ \times3\quad\ \times5$$
$$\underline{2\times2\times2\times3\times3\times5}$$
$$2\qquad\qquad\ \ \times5=10$$이다.

07
$$2\underline{)30\quad 42\quad 108}$$
$$3\underline{)15\quad 21\quad\ \ 54}$$
$$\quad\ \ 5\quad\ \ 7\quad\ \ 18$$
따라서, 최대공약수는 $2\times3=6$이다.

08 120, 80, 100의 최대공약수를 구하면
$$2\underline{)120\quad 80\quad 100}$$
$$2\underline{)\ 60\quad 40\quad\ \ 50}$$
$$5\underline{)\ 30\quad 20\quad\ \ 25}$$
$$\quad\ \ 6\quad\ \ 4\quad\ \ \ 5$$
따라서, 최대공약수는 $2\times2\times5=20$이므로
최대 20명에게 나누어 줄 수 있다.

09 16의 배수 중 100보다 큰 자연수는 112, 128, 144, … 이다.
$96=2^5\times3$, $112=2^4\times7$, $128=2^7$에서
96과 112의 최대공약수가 $2^4=16$이다.
따라서, 100보다 큰 자연수 중 96과 최대공약수가 16인 가장 작
은 수는 112이다.

10
$$2\underline{)24\quad 32\quad 48}$$
$$2\underline{)12\quad 16\quad 24}$$
$$2\underline{)\ 6\quad\ \ 8\quad 12}$$
$$\quad\ \ 3\quad\ \ 4\quad\ \ 6$$
24, 32, 48의 최대공약수는 $2\times2\times2=8$이므로
필요한 접시의 개수는 8개이다.

01 6	02 ③	03 15	04 ①, ⑤	05 10
06 ②	07 ④	08 6	09 10	10 4
11 ⑤	12 4	13 ②	14 144	15 ⑤
16 1, 2, 3, 4, 6, 12	17 12			

01
$$2^3\times3\times5^3=2\times2\times2\times3\qquad\times5\times5\times5$$
$$\underline{2\times3^2\times7\ =2\qquad\ \ \times3\times3\qquad\qquad\times7}$$
$$\qquad\qquad\ \ =2\qquad\ \ \times3$$
따라서, 최대공약수는 6이다.

02 공약수는 최대공약수의 약수이므로
두 자연수의 최대공약수가 14이면 공약수는 14의 약수인
1, 2, 7, 14이다.

03 24와 56의 공약수는 최대공약수의 약수이므로
24와 56의 최대공약수를 구하면
$$2\underline{)24\quad 56}$$
$$2\underline{)12\quad 28}$$
$$2\underline{)\ 6\quad 14}$$
$$\quad\ \ 3\quad\ \ 7$$
에서 $2\times2\times2=8$이다.
8의 약수는 1, 2, 4, 8이므로 이들의 합은
$1+2+4+8=15$이다.

04 최대공약수가 1인 것을 찾는다.
① 2의 약수는 1, 2
5의 약수는 1, 5로 최대공약수는 1이므로 서로소이다.
② 5의 약수는 1, 5
10의 약수는 1, 2, 5, 10으로 최대공약수가 5이므로 서로소
가 아니다.
③ 6의 약수는 1, 2, 3, 6
15의 약수는 1, 3, 5, 15로 최대공약수가 3이므로 서로소가
아니다.

④ 12의 약수는 1, 2, 3, 4, 6, 12
  18의 약수는 1, 2, 3, 6, 9, 18로 최대공약수가 6이므로 서로소가 아니다.
⑤ 28의 약수는 1, 2, 4, 7, 14, 28
  81의 약수는 1, 3, 9, 27, 81로 최대공약수가 1이므로 서로소이다.

05 두 수 $2 \times 3^2 \times 5$, $2^2 \times 5^3 \times 7$의 공통인 소인수의 지수가 작은 것을 찾아 곱하면 $2 \times 5 = 10$이다.

06 두 수 $2^3 \times 3^2 \times 5$, $2^2 \times 3 \times 5^2$의 최대공약수는 $2^2 \times 3 \times 5$이고 두 수의 공약수는 최대공약수의 약수이다.

07 두 수 A와 B의 공약수의 개수는 두 수의 최대공약수인 36의 약수의 개수와 같다.
이때, $36 = 2^2 \times 3^2$이므로 구하는 공약수의 개수는
$(2+1) \times (2+1) = 9$(개)이다.

08 두 수의 공약수는 최대공약수의 약수이므로 공약수의 개수는 최대공약수의 약수의 개수와 같다.
두 수 $2^3 \times 3 \times 5$, $2^2 \times 3^2$의 최대공약수는 $2^2 \times 3$이므로 구하는 공약수의 개수는 $(2+1) \times (1+1) = 6$(개)이다.

09
$2 \times 2 \times 3 \quad \times 5 \times 5$
$2 \qquad\qquad \times 5 \times 5 \times 5 \times 7 \times 7$
$2 \times 2 \times 3 \times 3 \times 5 \qquad \times 7$
$2 \qquad\qquad \times 5 = 10$이다.

10
2)30 48 84
3)15 24 42
  5 8 14
따라서, 세 수의 최대공약수는 $2 \times 3 = 6$이므로 세 수의 공약수는 1, 2, 3, 6으로 4개이다.

11 두 분수 $\dfrac{18}{n}$과 $\dfrac{24}{n}$가 자연수가 되기 위해서는 n이 18과 24의 공약수이어야 한다.
18과 24의 최대공약수는
2)18 24
3) 9 12
  3 4
에서 $2 \times 3 = 6$이다.
n은 6의 약수 1, 2, 3, 6이다.

12 나누어 줄 수 있는 사람의 수는 20과 12의 공약수이다.
2)20 12
2)10 6
  5 3
에서 20과 12의 최대공약수는 $2 \times 2 = 4$이므로 가능한 한 많은 사람에게 나누어 주려면 4명에게 나누어 줄 수 있다.

13 120과 72의 최대공약수를 구하면
2)120 72
2) 60 36
2) 30 18
3) 15 9
   5 3
에서 $2^3 \times 3 = 24$이므로 24명에게 나누어 줄 수 있다.

14 144와 81의 최대공약수를 구하면
3)144 81
3) 48 27
  16 9
따라서, 최대공약수는 9이다.
가로에 붙이는 개수는 $144 \div 9 = 16$(개)
세로에 붙이는 개수는 $81 \div 9 = 9$(개)이므로
필요한 타일의 개수는 $16 \times 9 = 144$(개)이다.

15 30과 24의 최대공약수가 6이므로 가로에는 $5+1 = 6$송이씩, 세로에는 $4+1 = 5$송이씩 심으면 되므로 필요한 꽃의 수는
$2 \times (6+5) = 22$(송이)
이때, 네 모퉁이에 심은 꽃은 중복해서 더했으므로 4송이를 빼면 필요한 꽃의 수는 $22 - 4 = 18$(송이)이다.

16 n은 24, 84, 108의 공약수이어야 하고 공약수는 최대공약수의 약수이다.
따라서, 구하는 자연수 n은 세 수의 최대공약수 12의 약수인 1, 2, 3, 4, 6, 12이다.

17 필요한 공책의 수 108권, 연필은 48자루이므로 학생 수는 108과 48의 최대공약수이다.
2)108 48
2) 54 24
3) 27 12
   9 4
따라서, $2 \times 2 \times 3 = 12$(명)이다.

기본 체크

01 24　　　　　　　02 5

대표 예제

01 두 수의 공약수로 나누고, 나누어 준 공약수와 마지막 몫을 모두 곱한다.
$$\begin{array}{r} 2\,)\,24\ \ 32 \\ 2\,)\,12\ \ 16 \\ \boxed{2}\,)\ \ 6\ \ \ 8 \\ 3\ \ \ \boxed{4} \end{array}$$
따라서, 최소공배수는 $2\times2\times\boxed{2}\times3\times\boxed{4}=\boxed{96}$

02 두 수 a, b의 공배수는 $\boxed{최소공배수}$의 배수와 같고, 두 수의 최소공배수가 60이므로 구하는 공배수는 $\boxed{60}$의 배수와 같다.
따라서, 300 이하의 공배수의 개수는 $\boxed{5}$개다.

03 두 수 $2^4\times3^a$, $2^a\times3\times7$의
최대공약수가 $2^2\times3$이므로 $b=\boxed{2}$이고
최소공배수가 $2^4\times3^3\times7$이므로 $a=\boxed{3}$이다.
따라서, $a+b=\boxed{5}$이다.

04 (두 수의 곱)=(최대공약수)×(최소공배수)에서
$720=\boxed{12}\times$(최소공배수)
$\therefore$ (최소공배수)$=\boxed{60}$

05 미영이는 15분마다, 기수는 20분마다 출발점을 지나게 된다.
동시에 출발하여 처음으로 다시 출발점에서 만나게 되는 것은 $\boxed{60}$분 후이므로 미영이가 $\boxed{4}$바퀴를 돌았을 때이다.

03 두 수 $2^a\times3$, $2^2\times3^a\times5$의 최소공배수가 $2^3\times3^2\times5$이므로 두 수는 $2^3\times3$, $2^2\times3^2\times5$이다.
즉, $a=3$, $b=2$
따라서, $a+b=3+2=5$이다.

04 $\begin{array}{l} 2\times2\ \ \ \ \times3\ \ \ \ \times5\ \ \ \ \times7\times7\times7 \\ 2\times2\times2\times3\ \ \ \ \ \ \ \ \ \ \times5\times5 \\ 2\ \ \ \ \ \ \ \ \ \ \ \ \times3\times3\ \ \ \ \ \ \ \ \ \ \ \times7 \\ \hline 2\times2\times2\times3\times3\times5\times5\times7\times7\times7 \end{array}$
따라서, 최소공배수는 $2^3\times3^2\times5^2\times7^3$이다.

05 $\begin{array}{r} 2\,)\,18\ \ 24\ \ 30 \\ 3\,)\ \ 9\ \ 12\ \ 15 \\ 3\ \ \ 4\ \ \ 5 \end{array}$
따라서, 최소공배수는 $2\times3\times3\times4\times5=360$이다.

06 (두 수의 곱)=(최대공약수)×(최소공배수)에서
$567=$(최대공약수)$\times63$
$\therefore$ (최대공약수)$=9$

07 $\begin{array}{r} 2\,)\,16\ \ 24 \\ 2\,)\ \ 8\ \ 12 \\ 2\,)\ \ 4\ \ \ 6 \\ 2\ \ \ 3 \end{array}$
에서 16과 24의 최소공배수는 $2\times2\times2\times2\times3=48$이다.
따라서, A가 회전하는 횟수는
$48\div16=3$(바퀴)이다.

08 세 자연수 4, 5, 6으로 나누어떨어지는 수는 최소공배수인 60의 배수이므로 세 자연수 중의 어느 수로 나누어도 나머지가 1인 자연수는 61, 121, 181, …이다.
따라서, 가장 작은 자연수는 61이다.

[다른풀이]
4의 배수 4, 8, 12, 16, …, 60, …
5의 배수 5, 10, 15, 20, …, 60, …
6의 배수 6, 12, 18, …, 60, …이다.
이 중 최소공배수는 60이고
(구하는 수)$=60+1=61$

어떤 교과서에나 나오는 문제　출제율 100% 기본기 쌓기

01 24	02 5	03 ④	04 $2^3\times3^2\times5^2\times7^3$
05 360	06 9	07 ②	08 61

01 8의 배수이면서 12의 배수인 자연수는 24의 배수이므로 최소인 수는 24이다.

02 6과 9의 최소공배수가 18이므로 두 수의 공배수는 18의 배수이다. 따라서, 100 이하의 공배수는 18, 36, 54, 72, 90의 5개이다.

시험에 꼭 나오는 문제　기출 베스트 컬렉션

01 $2^3\times3^2\times5^3\times7$	02 ②	03 4	04 ④
05 5	06 $2^3\times3^2\times5^3\times7$	07 448	08 ③
09 54	10 6	11 90	12 6	13 $\dfrac{60}{7}$
14 $\dfrac{175}{6}$	15 오전 9시	16 1717	17 ①

01 $2^3 \times 3 \times 5^3 = 2 \times 2 \times 2 \times 3 \qquad \times 5 \times 5 \times 5$

$2 \times 3^2 \times 7 = 2 \qquad \times 3 \times 3 \qquad \times 7$

$\overline{\qquad 2 \times 2 \times 2 \times 3 \times 3 \times 5 \times 5 \times 5 \times 7}$

따라서, 최소공배수는 $2^3 \times 3^2 \times 5^3 \times 7$

02 공배수는 최소공배수의 배수이다.

따라서, ② $106 = 2 \times 53$은 두 수의 공배수가 아니다.

03 6과 8의 최소공배수가 24이므로 두 수의 공배수는 24의 배수이다.

따라서, 100 미만의 공배수는 24, 48, 72, 96의 4개이다.

04 90을 소인수분해하면

$90 = 2 \times 3^2 \times 5$이다.

따라서, $2^2 \times 3 \times 5^2$과 $2 \times 3^2 \times 5$의 최소공배수는

$2^2 \times 3^2 \times 5^2 = 900$이다.

05 두 수 $2^a \times 3^2 \times 5$, $2 \times 3^b \times 5^c$의 최대공약수가 $2 \times 3 \times 5$이므로

$b = 1$

최소공배수가 $2^3 \times 3^2 \times 5$이므로 $a = 3$, $c = 1$이다.

따라서, $a + b + c = 3 + 1 + 1 = 5$이다.

06 $2 \qquad\qquad\qquad \times 5 \times 5$

$2 \times 2 \times 2 \times 3 \qquad \times 5 \times 5 \times 5$

$2 \qquad\qquad \times 3 \times 3 \qquad\qquad \times 7$

$\overline{\qquad 2 \times 2 \times 2 \times 3 \times 3 \times 5 \times 5 \times 5 \times 7}$

따라서, 최소공배수는 $2^3 \times 3^2 \times 5^3 \times 7$이다.

07
```
2)32  56  64
2)16  28  32
2) 8  14  16
2) 4   7   8
2) 2   7   4
   1   7   2
```
따라서, 최소공배수는 $2^6 \times 7 = 448$이다

08 $2^2 \times 3^3 \times 5$와 어떤 수의 최대공약수가 $2^2 \times 3$이므로 어떤 수와 공통인 소인수는 2와 3이고 2의 지수는 2 이상, 3의 지수는 1이다. 또, 최소공배수가 $2^3 \times 3^3 \times 5$이므로 어떤 수와 공통인 소인수 중 2의 지수는 3이다.

따라서, 어떤 수는 $2^3 \times 3$이다.

09 (두 수의 곱) = (최대공약수) × (최소공배수)에서

$324 = 6 \times$ (최소공배수)

∴ (최소공배수) = 54

10 (두 수의 곱) = (최대공약수) × (최소공배수)에서

$1080 = $ (최대공약수) $\times 180$

∴ (최대공약수) = 6

11 $\dfrac{5}{18} \times n = \dfrac{5}{2 \times 3^2} \times n$과 $\dfrac{11}{30} \times n = \dfrac{11}{2 \times 3 \times 5} \times n$이 모두 자연수가 되기 위해서 n은 분모의 공배수이어야 한다.

2×3^2과 $2 \times 3 \times 5$의 최소공배수는

$2 \times 3^2 \times 5$이다.

따라서 n의 값 중 가장 작은 것은 90이다.

12 만들려는 정사각형의 한 변의 길이는 16, 24의 최소공배수이어야 하므로

$2 \times 2 \times 2 \times 2 \times 3 = 48$ (cm)이다.

이때 가로는 3장, 세로는 2장씩 타일을 붙여야 하므로 필요한 타일의 수는

$3 \times 2 = 6$ (장)이다.

```
2)16  24
2) 8  12
2) 4   6
   2   3
```

13 $\dfrac{14}{15} \times \dfrac{(15의 배수)}{(14의 약수)} = $ (자연수)

$\dfrac{49}{20} \times \dfrac{(20의 배수)}{(49의 약수)} = $ (자연수)

따라서, 구하는 가장 작은 기약분수는

$\dfrac{(15와 20의 최소공배수)}{(14와 49의 최대공약수)} = \dfrac{60}{7}$

14 구하는 가장 작은 기약분수는

$\dfrac{(5, 7, 25의 최소공배수)}{(12, 30, 42의 최대공약수)} = \dfrac{175}{6}$

15 20, 30, 45의 최소공배수는 180이므로 세 버스는 180분마다 동시에 다시 출발한다.

따라서, 오전 6시에 출발한 후 처음으로 다시 동시에 출발하는 시각은 180분 후인 오전 9시이다.

```
5)20  30  45
2) 4   6   9
3) 2   3   9
   2   1   3
```

16 세 자연수 11, 12, 13으로 나누어떨어지는 수는 세 수의 최소공배수의 배수이므로 세 자연수 중의 어느 수로 나누어도 나머지가 1인 자연수 중 가장 작은 자연수는

(11, 12, 13의 최소공배수) + 1이다.

따라서, 구하는 자연수는 1717이다.

[참고] 11, 12, 13이 서로소이므로 세 수의 최소공배수는 세 수의 곱과 같다.

17 2명씩 조를 짜면 1명이 남고, 3명씩 조를 짜면 2명이 남고, 4명씩 조를 짜면 3명이 남으므로

학생 수를 n명이라고 하면 $n+1$은 2, 3, 4의 배수이다.

2, 3, 4의 최소공배수가 12이므로

공배수는 12, 24, 36, …이다.

따라서, 이 반의 학생 수로 가능한 것은 11, 23, 35, …이다.

01 ④	02 ④	03 2, 11	04 15	05 ⑤
06 ④	07 10	08 8	09 8	10 ①
11 ①, ③	12 4	13 4	14 4	15 90
16 ⑤	17 3	18 $2^3 \times 3^2 \times 5 \times 7$		
19 360	20 80	21 48	22 12	23 18
24 27	25 $\frac{175}{6}$	26 ④	27 72 cm	28 957

01 ① 소수는 1과 자기 자신만을 약수로 갖는다.
② 30을 소인수분해하면 $2 \times 3 \times 5$이다.
③ 1은 소수도 합성수도 아니다.
⑤ 자연수는 1과 소수와 합성수로 이루어져 있다.

02 $3^1 = 3$, $3^2 = 9$, $3^3 = 27$, $3^4 = 81$, $3^5 = 243$, … 이므로
3의 거듭제곱을 자연수로 나타내면 일의 자리 수가
3, 9, 7, 1의 네 수가 반복된다.
$99 = 4 \times 24 + 3$이므로 3^{99}의 일의 자리 숫자는 7이다.

03 88을 소인수분해하면
$88 = 2^3 \times 11$이므로 소인수는 2, 11이다.

04 60을 소인수분해하면
$60 = 2^2 \times 3 \times 5$이므로 지수가 1로 홀수인 소인수
3과 5를 곱하면 30의 제곱이 된다.
따라서, 곱해야 하는 가장 작은 자연수는 15이다.

06 소인수분해하였을 때, 지수가 1, 3, 2이므로
약수의 개수는 $(1+1) \times (3+1) \times (2+1) = 2 \times 4 \times 3 = 24$

07 112를 소인수분해하면
$112 = 2^4 \times 7$이므로
약수의 개수는 $(4+1) \times (1+1) = 10$(개)이다.

08 2)24 32
　　2)12 16
　　2) 6   8
　　　 3   4
따라서, 최대공약수는 $2 \times 2 \times 2 = 8$

09 두 수의 공약수는 16의 약수이다.
16의 약수는 1, 2, 4, 8, 16이므로 두 번째로 큰 수는 8이다.

10 $70 = 2 \times 5 \times 7$이므로
70과 9의 최대공약수는 1이다. 즉, 두 수는 서로소이다.

11 두 수의 최대공약수는 $2^2 \times 7$이므로 두 수의 공약수는 $2^2 \times 7$의 약수이다.

12 두 수의 공약수는 최대공약수의 약수이므로 공약수의 개수는 최

대공약수의 약수의 개수와 같다.
두 수 $2 \times 3^2 \times 5$, $2^2 \times 3 \times 7$의 최대공약수는 2×3이므로
구하는 공약수의 개수는 $(1+1) \times (1+1) = 4$(개)이다.

13 2)28 52 96
　　2)14 26 48
　　　 7 13 24
따라서, 최대공약수는 $2 \times 2 = 4$이다.

14 두 분수 $\frac{12}{n}$와 $\frac{20}{n}$이 자연수가 되기 위해서는 n이 12와 20의 공약수이어야 한다.
12와 20의 최대공약수는
2)12 20
2) 6 10
　 3   5
에서 $2 \times 2 = 4$이다.
따라서, n의 최대값은 4이다.

15 2)18 30
　　3) 9 15
　　　 3   5
따라서, 최소공배수는 $2 \times 3 \times 3 \times 5 = 90$

16 300을 소인수분해하면 $300 = 2^2 \times 3 \times 5^2$이고 $2^3 \times 3^2 \times 5$와의
최소공배수는 공통인 소인수 중 지수가 큰 수를 곱하면
$2^3 \times 3^2 \times 5^2$이다.

17 12와 28의 최소공배수가 84이므로
두 수의 공배수는 84의 배수이다.
따라서 300 미만의 공배수는
84, 168, 252의 3개이다.
　　2)12 28
　　2) 6 14
　　　 3   7

18 세 수 $2^2 \times 3$, $2^3 \times 3^2 \times 5$, $2 \times 3^2 \times 7$의 공통인 소인수 중 지수가
큰 수와 공통이 아닌 소인수를 모두 곱하면
최소공배수는 $2^3 \times 3^2 \times 5 \times 7$이다.

19 2)36 72 90
　　2)18 36 45
　　3) 9 18 45
　　3) 3   6 15
　　　 1   2   5
최소공배수는 $2 \times 2 \times 3 \times 3 \times 5 = 360$이다.

20 (두 수의 곱)=(최대공약수)×(최소공배수)에서
$640 = 8 \times$(최소공배수)
∴ (최소공배수)$=80$

21 $\frac{7}{12} \times n = \frac{7}{2^2 \times 3} \times n$과 $\frac{9}{16} \times n = \frac{9}{2^4} \times n$이 모두 자연수가 되기
위해서 n은 분모의 최소공배수이어야 한다.
$2^2 \times 3$과 2^4의 최소공배수는 $2^4 \times 3$이다.

따라서, n의 값 중 가장 작은 것은 48이다.

22 나누어 줄 수 있는 사람의 수는 72와 60의 공약수이다.

$$\begin{array}{r} 2\,)\underline{72\quad 60} \\ 2\,)\underline{36\quad 30} \\ 3\,)\underline{18\quad 15} \\ 6\quad 5 \end{array}$$

에서 72와 60의 최대공약수는 $2\times2\times3=12$이므로 가능한 한 많은 사람에게 나누어 주려면 12명에게 나누어 줄 수 있다.

23 48을 나누어 6이 부족하면 나누어떨어지는 수는
$$48+6=54$$
80을 나누어 10이 부족하면 나누어떨어지는 수는
$$80+10=90$$
130을 나누어 4가 남으면 나누어떨어지는 수는
$$130-4=126$$
54, 90, 126의 최대공약수를 구하면

$$\begin{array}{r} 2\,)\underline{54\quad 90\quad 126} \\ 3\,)\underline{27\quad 45\quad 63} \\ 3\,)\underline{\;9\quad 15\quad 21} \\ 3\quad 5\quad 7 \end{array}$$

에서 $2\times3\times3=18$이다.

24 6의 배수는 6, 12, 18, 24, 30, …
8의 배수는 8, 16, 24, 32, …
공통인 배수는 24, 48, …이다. 이중 가장 작은 공배수는 24이다.
(구하는 수)$=24+3=27$

25 $\dfrac{18}{25}\times\dfrac{(25의\ 배수)}{(18의\ 약수)}=(자연수)$

$\dfrac{24}{35}\times\dfrac{(35의\ 배수)}{(24의\ 약수)}=(자연수)$

따라서, 구하는 가장 작은 기약분수는
$$\dfrac{(25와\ 35의\ 최소공배수)}{(18과\ 24의\ 최대공약수)}=\dfrac{175}{6}$$

26 타일의 크기가 가장 큰 경우에 타일을 가장 적게 사용할 수 있으므로 타일의 한 변의 길이는 420, 200의 최대공약수 20이다.
따라서 한 변의 길이가 20 cm인 정사각형 모양의 타일이 가로로 21개, 세로로 10개씩 놓이게 되는 것이므로 필요한 타일의 수는 210개이다.

27
$$\begin{array}{r} 2\,)\underline{8\quad 12\quad 18} \\ 2\,)\underline{4\quad\;\, 6\quad\;\, 9} \\ 3\,)\underline{2\quad\;\, 3\quad\;\, 9} \\ 2\quad\;\, 1\quad\;\, 3 \end{array}$$

에서 8, 12, 18의 최소공배수는
$2\times2\times2\times3\times3=72(\mathrm{cm})$이다.

28 15, 6, 8 중 어떤 수로 나누어도 3이 부족한 수를 구하면 된다.
즉, (15, 6, 8의 공배수)-3이다.
15, 6, 8의 최소공배수는 120이고,
가장 큰 세 자리 정수를 구해야 하므로
$$960-3=957$$

II. 정수와 유리수

4 정수와 유리수

본문 pp. 34~41

기본 체크

01 (1) $+1000$ (2) -3

02 (1) $+5, 4$ (2) $-3, -7, -6$

03 (1) 3   (2) 6   (3) 4   (4) 8

대표 예제

01 자연수는 4, $+6$의 2개이므로 $a=2$

정수는 $-2, 0, 4, +6, -9$의 5개이므로 $b=\boxed{5}$

정수가 아닌 유리수는 $\boxed{\dfrac{1}{5}}$ $\boxed{-11.5}$의 $\boxed{2}$개이므로

$c=\boxed{2}$

$\therefore a+b+c=2+\boxed{5}+\boxed{2}=\boxed{9}$

02 (1) $\left(+\dfrac{2}{9}$의 절댓값$\right)=\left|+\dfrac{2}{9}\right|=\boxed{\dfrac{2}{9}}$

(2) $\left(-\dfrac{5}{3}$의 절댓값$\right)=\left|-\dfrac{5}{3}\right|=\boxed{\dfrac{5}{3}}$

(3) $\left|+\dfrac{1}{7}\right|=\left|-\dfrac{1}{7}\right|=\dfrac{1}{7}$이므로 절댓값이

$\dfrac{1}{7}$인 수는 $\boxed{+\dfrac{1}{7}, -\dfrac{1}{7}}$이다.

(4) $\left|+\dfrac{4}{3}\right|=\left|-\dfrac{4}{3}\right|=\dfrac{4}{3}$이므로 절댓값이

$\dfrac{4}{3}$인 수는 $\boxed{+\dfrac{4}{3}, -\dfrac{4}{3}}$이다.

03 (1) (음수)$<0<$(양수)이므로

$+\dfrac{1}{4}\boxed{>}-\dfrac{3}{2}$

(2) (음수)$<0<$(양수)이므로 $-\dfrac{2}{5}\boxed{<}0$

(3) 양수는 절댓값이 큰 수가 크므로 $+\dfrac{4}{3}\boxed{<}+\dfrac{5}{2}$

(4) 음수는 절댓값이 작은 수가 크므로 $-3\boxed{>}-9$

04 음수는 절댓값이 작은 수가 크므로

$-15<\boxed{-9}<-1$

(음수)$<0<$(양수)이고, 양수는 절댓값이 큰 수가 크므로

$-1<0<\boxed{+3}<\boxed{+17}$

따라서, 작은 수부터 차례로 나열하면

$-15, \boxed{-9}, -1, 0, \boxed{+3}, \boxed{+17}$

어떤 교과서에나 나오는 문제
출제율 100% 기본기 쌓기

01 (1) $+2$ (2) $+5$ (3) -4 (4) -7 **02** ③

03 $\dfrac{5}{7}, -\dfrac{1}{4}, -0.3, +2.1$

04 점 A : -3, 점 B : -2, 점 C : $+1$, 점 D : $+4$

05 $a=-15, b=9$ **06** -4 **07** $a=-9, b=+2$

08 (1) $>$ (2) $<$ (3) $<$ (4) $>$ **09** (1) $x\geq+3$

(2) $0<x\leq+6$ (3) $-1\leq x\leq5$ (4) $x\geq2$

10 $-17, -8, -4, 0, +3, +21$

02 ③ 정수는 양의 정수, 0, 음의 정수로 이루어져 있다.

03 유리수를 기약분수 꼴로 고쳤을 때, 분모가 1이 아닌 수를 찾는다.

04 원점 O에 0을 대응시키고 오른쪽에는 양의 정수, 왼쪽에는 음의 정수를 순서대로 대응시킨다.

06 두 정수의 절댓값이 모두 4이므로 두 수는 각각 $-4, +4$

07 절댓값이 가장 큰 수는 원점 O에서 가장 거리가 먼 수이고, 절댓값이 가장 작은 수는 원점 O에서 가장 거리가 가까운 수이므로 절댓값이 가장 큰 수는 -9, 절댓값이 가장 작은 수는 $+2$이다.

09 (4) '작지 않다'는 '크거나 같다'는 말과 같다.

시험에 꼭 나오는 문제
기출 베스트 컬렉션

01 ④, ⑤   **02** ⑤   **03** $+1, -5$ **04** ④

05 ①   **06** ④   **07** 7   **08** ④   **09** $\dfrac{13}{4}$

10 ⑤   **11** $1\dfrac{1}{3}$ **12** ⑤   **13** ⑤

14 $+4, -3, -2, \dfrac{4}{3}, -\dfrac{2}{3}, 0$ **15** ②

16 $-3, -2.8, -\dfrac{13}{10}, 0, \dfrac{4}{11}, 0.4$ **17** ②   **18** 6

19 $-1, 0, 1$ **20** 4

01 ④ 0은 유리수이지만 분자가 자연수인 분수로 나타낼 수 없다.
⑤ 0은 정수이므로 유리수이다.

02 수직선에 나타내어 보면 각각 $+3$과 -7이다. 두 점 사이의 거리는 10이다.

03 수직선 위의 -2에서 오른쪽과 왼쪽으로 각각 거리가 3인 점을 구하면 $+1$과 -5이다.

04 두 점 A, B 사이의 거리는 11이다. 따라서 두 점으로부터 한가운데 있는 점 M까지의 거리는 $\dfrac{11}{2}$이다. 따라서, 점 M에 대응하는 수는 $8-\dfrac{11}{2}=\dfrac{5}{2}$이다.

05 ① $\left|\dfrac{3}{2}\right|=\dfrac{3}{2}=\dfrac{45}{30}$

② $\left|-\dfrac{4}{3}\right|=\dfrac{4}{3}=\dfrac{40}{30}$

③ $\left|+\dfrac{6}{5}\right|=\dfrac{6}{5}=\dfrac{36}{30}$

④ $\left|-\dfrac{7}{6}\right|=\dfrac{7}{6}=\dfrac{35}{30}$

⑤ $\left|+\dfrac{13}{10}\right|=\dfrac{13}{10}=\dfrac{39}{30}$

06 ① $|-3|=3=\dfrac{90}{30}$

② $|+1.5|=1.5=\dfrac{45}{30}$

③ $\left|-\dfrac{10}{3}\right|=\dfrac{10}{3}=\dfrac{100}{30}$

④ $\left|+\dfrac{9}{2}\right|=\dfrac{9}{2}=\dfrac{135}{30}$

⑤ $\left|-\dfrac{19}{5}\right|=\dfrac{19}{5}=\dfrac{114}{30}$

07 $|a|=|b|=7$이므로 $a=7,\ b=-7$

08 두 점 A, B 사이의 거리는 16이고, 두 점으로부터 한가운데 있는 점 C까지의 거리는 8이다. 따라서, 점 C에 대응하는 수는 $+3$이다.

09 원점 O의 오른쪽은 양수, 왼쪽은 음수를 순서대로 대응시킨다. 양수 중 가장 큰 수는 $\dfrac{13}{4}$

10 수직선 위에서 왼쪽에 있을 수록 작은 수이다. 작은 수부터 나열하면 $-1.2,\ -\dfrac{4}{7},\ 0,\ \dfrac{16}{3},\ +12.3$이다.

12 ㉠, ㉡ (음수)$<0<$(양수)
㉢ 두 개의 음수는 절댓값이 작은 수가 크다.
㉣, ㉤ 절댓값은 거리이므로 0 또는 양수이다.

13 ① $|-4|>+3$
② $-2<|-1|$
③ $-7<-3$
④ $0<|-3|$

15 ① $-\dfrac{2}{3}<1$
③ $+\dfrac{7}{2}>+\dfrac{10}{3}$

④ $\dfrac{1}{5}<5$
⑤ $0>-\dfrac{3}{2}$

16 (음수)$<0<$(양수), 양수는 절댓값이 큰 수, 음수는 절댓값이 작은 수가 크다.

17 절댓값이 작은 수부터 차례로 나열하면 $0,\ -2,\ +3,\ -6,\ +7$이다.

18 $-\dfrac{11}{3}<-3<-2<-1<0<1<2<\dfrac{5}{2}$이므로 구하는 정수는 $-3,\ -2,\ -1,\ 0,\ 1,\ 2$의 6개이다.

19 $-\dfrac{3}{2}<x\leq\dfrac{5}{3}$인 정수 x는 $-1,\ 0,\ 1$이다.

20 $\dfrac{3}{5}=\dfrac{6}{10}$이므로 $-\dfrac{7}{10}$과 $\dfrac{6}{10}$ 사이의 분모가 10인 정수가 아닌 기약분수는 $-\dfrac{3}{10},\ -\dfrac{1}{10},\ \dfrac{1}{10},\ \dfrac{3}{10}$뿐이다.
따라서, 구하는 기약분수의 개수는 4개이다.

기본 체크

01 (1) $+7$ (2) -7 (3) $+2$ (4) -2

02 (1) $+3$ (2) $+9$

03 ㉠: 덧셈의 교환법칙, ㉡: 덧셈의 결합법칙

대표 예제

01 (1) $\left(+\dfrac{1}{2}\right)+\left(+\dfrac{2}{3}\right)=\boxed{+}\left(\dfrac{1}{2}+\dfrac{2}{3}\right)=\boxed{+\dfrac{7}{6}}$

(2) $\left(+\dfrac{2}{5}\right)+\left(-\dfrac{5}{6}\right)=\boxed{-}\left(\dfrac{5}{6}-\dfrac{2}{5}\right)=\boxed{-\dfrac{13}{30}}$

02 (1) $(+3)-(+6)=(+3)+(\boxed{-6})=\boxed{-3}$

(2) $(-2)-(+7)=(-2)+(\boxed{-7})=\boxed{-9}$

03 (1) $(+6)+(-4)+(-6)$
$=(-4)+(\boxed{+6})+(-6)$
$=(-4)+\{(\boxed{+6})+(-6)\}$
$=(-4)+\boxed{0}=\boxed{-4}$

(2) $(-1)-(-5)-(-3)$
$=(-1)+(+5)+(\boxed{+3})$
$=(-1)+\{(+5)+(\boxed{+3})\}$
$=(-1)+(\boxed{+8})=\boxed{+7}$

04 (1) $\dfrac{1}{3}-\dfrac{3}{2}+\dfrac{5}{6}=\left(+\dfrac{1}{3}\right)+\left(-\dfrac{3}{2}\right)+\left(+\dfrac{5}{6}\right)$
$=\left(+\dfrac{1}{3}\right)+\left(\boxed{+\dfrac{5}{6}}\right)+\left(-\dfrac{3}{2}\right)$
$=\left(\boxed{+\dfrac{7}{6}}\right)+\left(-\dfrac{3}{2}\right)=\boxed{-\dfrac{1}{3}}$

(2) $\dfrac{1}{2}-2-\dfrac{1}{5}=\left(+\dfrac{1}{2}\right)+(-2)+\left(-\dfrac{1}{5}\right)$
$=\left(+\dfrac{1}{2}\right)+\left\{(\boxed{-2})+\left(-\dfrac{1}{5}\right)\right\}$
$=\left(+\dfrac{1}{2}\right)+\left(\boxed{-\dfrac{11}{5}}\right)=\boxed{-\dfrac{17}{10}}$

01 (1) $-\dfrac{5}{4}$ (2) $-\dfrac{5}{4}$ **02** (1) $+\dfrac{1}{4}$ (2) $+\dfrac{37}{10}$

03 (1) -2 (2) -5 (3) -13 (4) -3

04 (1) $+2$ (2) -4 **05** (1) -8 (2) -1

06 ㉠: $+11$, ㉡: 덧셈의 결합법칙

07 (1) -4.5 (2) $-\dfrac{49}{10}$

01 (1) $\left(-\dfrac{3}{4}\right)+\left(-\dfrac{1}{2}\right)=-\left(\dfrac{3}{4}+\dfrac{1}{2}\right)=-\dfrac{5}{4}$

(2) $(-1.5)+\left(+\dfrac{1}{4}\right)=-\left(1.5-\dfrac{1}{4}\right)=-\dfrac{5}{4}$

02 (1) $\left(-\dfrac{5}{4}\right)-\left(-\dfrac{3}{2}\right)=\left(-\dfrac{5}{4}\right)+\left(+\dfrac{3}{2}\right)$
$=+\left(\dfrac{3}{2}-\dfrac{5}{4}\right)=+\dfrac{1}{4}$

(2) $\left(+\dfrac{6}{5}\right)-\left(-\dfrac{5}{2}\right)=\left(+\dfrac{6}{5}\right)+\left(+\dfrac{5}{2}\right)$
$=+\left(\dfrac{6}{5}+\dfrac{5}{2}\right)=+\dfrac{37}{10}$

03 (1) $3-5=-(5-3)=-2$
(2) $-7+2=-(7-2)=-5$
(3) $-4-9=-(4+9)=-13$
(4) $-5+2=-(5-2)=-3$

04 (1) $(+3)+(+7)+(-8)=(+10)+(-8)$
$=+(10-8)=+2$
(2) $(-6)+(+5)+(-3)=(-1)+(-3)$
$=-(1+3)=-4$

05 (1) $(+5)-(+7)+(-6)=(+5)+(-7)+(-6)$
$=(-2)+(-6)=-8$
(2) $(+3)+(-8)-(-4)=(+3)+(-8)+(+4)$
$=(-5)+(+4)=-1$

07 (1) $-5.1+3.4-2.8=-5.1+(-2.8)+3.4$
$=-7.9+3.4=-4.5$
(2) $-3.2-1.5-\dfrac{1}{5}=-4.7-\dfrac{1}{5}$
$=-\dfrac{47}{10}+\left(-\dfrac{2}{10}\right)=-\dfrac{49}{10}$

01 ③	02 (1) $+\dfrac{1}{6}$	(2) $-\dfrac{5}{4}$	03 (1) -5　(2) 1
04 ④	05 ②	06 ③	07 ④　08 11
09 ④	10 $\dfrac{31}{6}$	11 ②	12 -6　13 -5
14 $\dfrac{13}{12}$	15 $-\dfrac{28}{5}$	16 ③	17 $-\dfrac{7}{2}$

01 0에서 왼쪽 방향으로 4칸을 이동 : -4
-4에서 오른쪽 방향으로 6칸 이동 : $(-4)+(+6)=+2$

02 (1) $\left(+\dfrac{2}{3}\right)-\left(+\dfrac{1}{2}\right)=\left(+\dfrac{2}{3}\right)+\left(-\dfrac{1}{2}\right)$
$$=+\left(\dfrac{2}{3}-\dfrac{1}{2}\right)=+\dfrac{1}{6}$$

(2) $(-0.5)-\left(+\dfrac{3}{4}\right)=\left(-\dfrac{1}{2}\right)+\left(-\dfrac{3}{4}\right)$
$$=-\left(\dfrac{1}{2}+\dfrac{3}{4}\right)=-\dfrac{5}{4}$$

03 (1) $-6+2-1=-4-1=-5$
(2) $3-6+4=-3+4=1$

04 ④ $(-10)-(-2)-7=-15$

05 $\left(-\dfrac{1}{3}\right)-\left(-\dfrac{5}{4}\right)+\left(-\dfrac{3}{2}\right)$
$$=\left(-\dfrac{4}{12}\right)+\left(+\dfrac{15}{12}\right)+\left(-\dfrac{18}{12}\right)=-\dfrac{7}{12}$$

06 $\dfrac{1}{3}+\left(-\dfrac{2}{9}\right)=\dfrac{3}{9}+\left(-\dfrac{2}{9}\right)=\dfrac{1}{9}$

07 $|-5|=5$이고, $|+7|=7$이므로
두 수의 합은 $(-5)+(+7)=+2$

08 $a=8+(-5)=3$, $b=(-6)-2=-8$이므로
$a-b=3-(-8)=11$

09 $a=\dfrac{5}{2}+3=\dfrac{11}{2}$, $b=-\dfrac{4}{3}+\left(-\dfrac{3}{2}\right)=-\dfrac{17}{6}$이므로
$a+b=\dfrac{11}{2}+\left(-\dfrac{17}{6}\right)=\dfrac{16}{6}=\dfrac{8}{3}$

10 $A=3-(-2)=+5$, $B=\dfrac{1}{2}+\left(-\dfrac{1}{3}\right)=+\dfrac{1}{6}$이므로
$A+B=(+5)+\left(+\dfrac{1}{6}\right)=\dfrac{31}{6}$

11 ① $(+4)+(-2)=+2$
② $(+5)-(-6)=+11$
③ $(-8)+(-20)=-28$
④ $(+2)-(+11)=-9$
⑤ $(-7)-(-16)=+9$

12 $(-2)+(-6)+(+2)=(-6)+(-2)+(+2)$
$$=(-6)+\{(-2)+(+2)\}$$
$$=(-6)+0=-6$$

13 $(-2)-(-6)-(+9)$
$$=(-2)+(+6)+(-9)=-5$$

14 $\dfrac{3}{2}-\dfrac{1}{3}+\dfrac{3}{4}-\dfrac{5}{6}=\dfrac{18}{12}-\dfrac{4}{12}+\dfrac{9}{12}-\dfrac{10}{12}=\dfrac{13}{12}$

15 $-2.1+\dfrac{4}{5}-2.8-\dfrac{3}{2}=-\dfrac{21}{10}+\dfrac{8}{10}-\dfrac{28}{10}-\dfrac{15}{10}$
$$=-\dfrac{56}{10}=-\dfrac{28}{5}$$

16 $|a|=5$이므로 $a=5$ 또는 -5
$|b|=7$이므로 $b=7$ 또는 -7
따라서, $a+b$는
$(-5)+(-7)=-12$, $(+5)+(-7)=-2$,
$(-5)+(+7)=+2$, $(+5)+(+7)=+12$

17 가장 큰 수는 $a=2$, 가장 작은 수는 $b=-\dfrac{3}{2}$이므로
$b-a=-\dfrac{3}{2}-2=-\dfrac{7}{2}$

기본 체크

01 (1) $+6$ (2) $+\dfrac{2}{3}$ (3) -36 (4) $-\dfrac{5}{9}$

02 (1) $+2$ (2) $+3$ (3) -5 (4) -4

03 ㉢ → ㉡ → ㉠ → ㉣

---

01 (1) $(+2) \times (+3) = +(2 \times 3) = +6$

(2) $\left(-\dfrac{8}{3}\right) \times \left(-\dfrac{1}{4}\right) = +\left(\dfrac{8}{3} \times \dfrac{1}{4}\right) = +\dfrac{2}{3}$

(3) $(+4) \times (-9) = -(4 \times 9) = -36$

(4) $\left(-\dfrac{2}{3}\right) \times \left(+\dfrac{5}{6}\right) = -\left(\dfrac{2}{3} \times \dfrac{5}{6}\right) = -\dfrac{5}{9}$

대표 예제

01 (1) $(-5) \times (-8) = \boxed{+}(5 \times 8) = \boxed{+40}$

(2) $(-3) \times (+7) = \boxed{-}(3 \times 7) = \boxed{-21}$

02 $(-5) \times (+13) \times (-2) \times (-3)$

$= (-5) \times (-2) \times (\boxed{+13}) \times (-3)$

$= \{(-5) \times (-2)\} \times \{(\boxed{+13}) \times (-3)\}$

$= (+10) \times (\boxed{-39}) = (\boxed{-390})$

03 (1) $\left(+\dfrac{4}{7}\right) \times \boxed{\left(+\dfrac{7}{4}\right)} = 1$이므로 $+\dfrac{4}{7}$의 역수는 $\boxed{+\dfrac{7}{4}}$

(2) $\left(-\dfrac{3}{5}\right) \times \boxed{\left(-\dfrac{5}{3}\right)} = 1$이므로 $-\dfrac{3}{5}$의 역수는 $\boxed{-\dfrac{5}{3}}$

(3) $(-5) \times \boxed{\left(-\dfrac{1}{5}\right)} = 1$이므로 -5의 역수는 $\boxed{-\dfrac{1}{5}}$

(4) -4.7은 $-\dfrac{47}{10}$이고, $\left(-\dfrac{47}{10}\right) \times \boxed{\left(-\dfrac{10}{47}\right)} = 1$이므로

$\qquad -4.7$의 역수는 $\boxed{-\dfrac{10}{47}}$

04 (1) $\left(-\dfrac{3}{8}\right) \div \left(-\dfrac{6}{5}\right) = \left(-\dfrac{3}{8}\right) \times \boxed{\left(-\dfrac{5}{6}\right)} = \boxed{+\dfrac{5}{16}}$

(2) $\left(+\dfrac{6}{7}\right) \div \left(-\dfrac{9}{14}\right) = \left(+\dfrac{6}{7}\right) \times \boxed{\left(-\dfrac{14}{9}\right)} = \boxed{-\dfrac{4}{3}}$

05 $\left(-\dfrac{4}{5}\right) \times \left(-\dfrac{3}{2}\right)^2 \div \left\{\dfrac{2}{3} - \left(-\dfrac{1}{2}\right)\right\}$

$= \left(-\dfrac{4}{5}\right) \times \boxed{\left(+\dfrac{9}{4}\right)} \div \left\{\dfrac{2}{3} - \left(-\dfrac{1}{2}\right)\right\}$

$= \left(-\dfrac{4}{5}\right) \times \boxed{\left(+\dfrac{9}{4}\right)} \div \left(+\dfrac{7}{6}\right)$

$= \left(-\dfrac{9}{5}\right) \times \boxed{\left(+\dfrac{6}{7}\right)} = \boxed{-\dfrac{54}{35}}$

---

01 (1) $+\dfrac{1}{8}$ (2) $-\dfrac{3}{16}$

02 (1) -60 (2) $+72$ (3) -70 (4) 0

03 (1) $-\dfrac{20}{9}$ (2) $+\dfrac{1}{5}$ (3) $+\dfrac{40}{63}$ (4) $+\dfrac{1}{10}$

04 48   **05** (1) $+\dfrac{1}{4}$ (2) $-\dfrac{11}{2}$

06 (1) -12 (2) 0 (3) $+2$ (4) $+1$

07 (1) $+9$ (2) $+1$ **08** $-\dfrac{1}{6}$

---

01 (1) $\left(+\dfrac{5}{12}\right) \times \left(+\dfrac{3}{10}\right) = +\dfrac{1}{8}$

(2) $\left(+\dfrac{7}{8}\right) \times \left(-\dfrac{3}{14}\right) = -\dfrac{3}{16}$

02 (1) $(+3) \times (+4) \times (-5) = -(3 \times 4 \times 5) = -60$

(2) $(-2) \times (+9) \times (-4) = +(2 \times 9 \times 4) = +72$

(3) $(-7) \times (-5) \times (-2) = -(7 \times 5 \times 2) = -70$

(4) $(-4) \times (+1) \times 0 = 0$

03 (1) $\left(+\dfrac{4}{3}\right) \times \left(+\dfrac{5}{6}\right) \times (-2)$

$\qquad = -\left(\dfrac{4}{3} \times \dfrac{5}{6} \times 2\right) = -\dfrac{20}{9}$

(2) $\left(-\dfrac{2}{5}\right) \times \left(-\dfrac{3}{8}\right) \times \left(+\dfrac{4}{3}\right)$

$\qquad = +\left(\dfrac{2}{5} \times \dfrac{3}{8} \times \dfrac{4}{3}\right) = +\dfrac{1}{5}$

(3) $\left(-\dfrac{2}{7}\right) \times \left(-\dfrac{5}{6}\right) \times \left(-\dfrac{8}{3}\right)$

$\qquad = +\left(\dfrac{2}{7} \times \dfrac{5}{6} \times \dfrac{8}{3}\right) = +\dfrac{40}{63}$

(4) $\left(-\dfrac{1}{5}\right) \times \left(+\dfrac{5}{12}\right) \times \left(-\dfrac{6}{5}\right)$

$\qquad = +\left(\dfrac{1}{5} \times \dfrac{5}{12} \times \dfrac{6}{5}\right) = +\dfrac{1}{10}$

04 분배법칙을 이용하여 구한다.

$a \times (b+c) = a \times b + a \times c = 18 + 30 = 48$

05 (1) $\left(+\dfrac{5}{6}\right) \div \left(+\dfrac{10}{3}\right) = \left(+\dfrac{5}{6}\right) \times \left(+\dfrac{3}{10}\right) = +\dfrac{1}{4}$

(2) $(-3) \div \left(+\dfrac{6}{11}\right) = (-3) \times \left(+\dfrac{11}{6}\right) = -\dfrac{11}{2}$

06 (1) $(+8) \div (+2) \times (-3) = -(8 \div 2 \times 3) = -12$

(2) $(+9) \times 0 \div (+5) = 0 \div (+5) = 0$

(3) $(-12) \div (-3) \div (+2) = +(12 \div 3 \div 2) = +2$

(4) $(-10) \div (+5) \div (-2) = +(10 \div 5 \div 2) = +1$

07 (1) $(-3) \times (+5) + (-4) \times (-6)$

$\qquad = (-15) + (+24) = +9$

(2) $(+4) \div (-2) - (+12) \div (-4)$

$$= (-2) - (-3) = +1$$

08 $\left(-\dfrac{2}{3}\right)^2 \div \left\{\left(-\dfrac{1}{2}\right) - \left(\dfrac{2}{3} - \dfrac{1}{2}\right)\right\} + \dfrac{1}{2}$

$$= \left(+\dfrac{4}{9}\right) \div \left\{\left(-\dfrac{1}{2}\right) - \left(\dfrac{2}{3} - \dfrac{1}{2}\right)\right\} + \dfrac{1}{2}$$

$$= \left(+\dfrac{4}{9}\right) \div \left\{\left(-\dfrac{1}{2}\right) - \left(+\dfrac{1}{6}\right)\right\} + \dfrac{1}{2}$$

$$= \left(+\dfrac{4}{9}\right) \div \left(-\dfrac{2}{3}\right) + \dfrac{1}{2}$$

$$= \left(-\dfrac{2}{3}\right) + \dfrac{1}{2} = -\dfrac{1}{6}$$

시험에 꼭 나오는 문제 기출 베스트 컬렉션

> 01 (1) -48 (2) $+24$ (3) $+54$ (4) -160
>
> 02 $-\dfrac{14}{9}$ 03 -4 04 ㉠ : 곱셈의 교환법칙,
>
> ㉡ : 곱셈의 결합법칙, ㉢ : 분배법칙
>
> 05 ⑤ 06 4250 07 (1) $+\dfrac{2}{3}$ (2) -5 (3) $-\dfrac{3}{8}$
>
> (4) $+\dfrac{1}{8}$ 08 -6 09 ③ 10 ③ 11 $+\dfrac{3}{5}$
>
> 12 ⑤ 13 $\dfrac{9}{11}$ 14 $-\dfrac{3}{4}$ 15 $-\dfrac{10}{3}$ 16 $+6$
>
> 17 -6 18 $-\dfrac{19}{4}$

01 (1) $(-4) \times (+12) = -(4 \times 12) = -48$

(2) $(-8) \times (-3) = +(8 \times 3) = +24$

(3) $(+2) \times (-3) \times (-9) = +(2 \times 3 \times 9) = +54$

(4) $(-4) \times (-5) \times (-8) = -(4 \times 5 \times 8) = -160$

02 $\left|+\dfrac{7}{6}\right| < \left|-\dfrac{6}{5}\right| < \left|+\dfrac{5}{4}\right| < \left|-\dfrac{4}{3}\right|$ 이므로

두 수 $-\dfrac{4}{3}, +\dfrac{7}{6}$ 의 곱을 구하면 $-\dfrac{4}{3} \times \dfrac{7}{6} = -\dfrac{14}{9}$

03 절댓값은 양수이므로 어떤 정수와 절댓값의 곱이 음수이면 이 정수는 음수이다.

이 정수를 a라고 하면 절댓값은 $|a| = -a$

따라서, $a \times |a| = a \times (-a) = -a^2 = -16$

여기서 $a^2 = 16$이므로 $a = -4$

05 분배법칙에서 $a \times (b + c) = a \times b + a \times c$이므로

$-42 = a \times b + 13$

$\therefore a \times b = -42 - 13 = -55$

06 $4.25 \times 1927 + 4.25 \times (-927)$

$= 4.25 \times \{1927 + (-927)\}$

$$= 4.25 \times 1000 = 4250$$

07 (1) $\left(-\dfrac{8}{3}\right) \div (-4) = \left(-\dfrac{8}{3}\right) \times \left(-\dfrac{1}{4}\right) = +\dfrac{2}{3}$

(2) $(-2) \div \left(+\dfrac{2}{5}\right) = (-2) \times \left(+\dfrac{5}{2}\right) = -5$

(3) $\left(+\dfrac{3}{14}\right) \div \left(-\dfrac{4}{7}\right) = \left(+\dfrac{3}{14}\right) \times \left(-\dfrac{7}{4}\right) = -\dfrac{3}{8}$

(4) $\left(+\dfrac{5}{12}\right) \div \left(+\dfrac{10}{3}\right) = \left(+\dfrac{5}{12}\right) \times \left(+\dfrac{3}{10}\right) = +\dfrac{1}{8}$

08 $a = -30, b = +5$이므로

$a \div b = (-30) \div (+5) = -6$

09 $a > 0, b < 0$이므로 $-a < 0, -b > 0$이다.

① $a + b$는 $4 - 2 > 0, 2 - 4 < 0$으로 항상 양수는 아니다.

② $-a < 0$으로 항상 음수이다.

③ $-b > 0$으로 항상 양수이다.

④ $a \times b < 0$

⑤ $a \div b < 0$

10 ① $|a| < |b|$이면 $a + b > 0$

② $-a + b > 0$

③ $2 \times a \times \dfrac{1}{b} < 0$

④ $-a \div b > 0$

⑤ $-\dfrac{1}{a} \times \dfrac{1}{b} > 0$

11 $a = -\dfrac{1}{4}, b = -\dfrac{5}{12}$이므로

$a \div b = \left(-\dfrac{1}{4}\right) \div \left(-\dfrac{5}{12}\right) = \left(-\dfrac{1}{4}\right) \times \left(-\dfrac{12}{5}\right) = +\dfrac{3}{5}$

12 $a = \dfrac{5}{2}, b = -\dfrac{7}{6}$이므로

$(-a) \div b = \left(-\dfrac{5}{2}\right) \times \left(-\dfrac{6}{7}\right) = +\dfrac{15}{7}$

13 $\dfrac{a}{8} \times \dfrac{8}{9} = 1$이므로 $a = 9$

$\left(-\dfrac{4}{b}\right) \times \left(-\dfrac{11}{4}\right) = 1$이므로 $b = 11$

따라서, $a \div b = \dfrac{9}{11}$

14 5보다 8만큼 작은 수는 $a = 5 - 8 = -3$

-7보다 9만큼 큰 수는 $b = -7 + 9 = 2$

2보다 -6만큼 작은 수 $c = 2 - (-6) = 8$

$\therefore a \times b \div c = (-3) \times 2 \div 8 = (-6) \times \dfrac{1}{8} = -\dfrac{3}{4}$

15 $-\dfrac{4}{9} \div \left(-\dfrac{1}{3}\right) \times (-2)$

$$=-\frac{4}{9}\times(-3)\times(-2)=-\frac{8}{3}\text{이고,}$$

$$\square\div\frac{5}{4}=-\frac{8}{3}\text{이어야 하므로}$$

$$\square=-\frac{8}{3}\times\frac{5}{4}=-\frac{10}{3}$$

16 $(-2)\times\{(+15)-(-3)\}\div(-6)$
$=(-2)\times(+18)\div(-6)=+6$

17 $7-[\{4-(5-6)^5\}-(-2)^3]$
$=7-\{4-(-1)-(-8)\}$
$=7-(5+8)=-6$

18 $\left(-\frac{3}{4}\right)\times\left[\left\{\left(-\frac{1}{3}\right)^2+(-1)\right\}\div\left(-\frac{1}{6}\right)+1\right]$
$=\left(-\frac{3}{4}\right)\times\left[\left\{\left(+\frac{1}{9}\right)+(-1)\right\}\times(-6)+1\right]$
$=\left(-\frac{3}{4}\right)\times\left\{\left(-\frac{8}{9}\right)\times(-6)+1\right\}$
$=\left(-\frac{3}{4}\right)\times\left\{\left(+\frac{16}{3}\right)+1\right\}$
$=\left(-\frac{3}{4}\right)\times\left(+\frac{19}{3}\right)=-\frac{19}{4}$

단원종합문제

본문 58~61

01 ②, ③	02 ③	03 ④	04 ①, ④	05 5
06 ③	07 ④	08 ④	09 6	10 7
11 ①	12 ④	13 ③	14 ①	15 ⑤
16 ④	17 ②	18 ⑤	19 10	20 ⑤
21 ④	22 $\frac{1}{2}$	23 ①	24 $\frac{15}{4}$	25 $\frac{4}{5}$
26 $\frac{28}{5}$				

02 유리수에는 정수와 정수가 아닌 유리수가 있고, 정수에는 자연수 (양의 정수), 0, 음의 정수가 있다. 따라서, 0은 유리수이다.

03 원점으로부터 가장 거리가 먼 수는 절댓값이 가장 큰 수이다.
① $|+1|=1$
② $|-0.4|=0.4$
③ $|-8|=8$
④ $\left|-\frac{23}{2}\right|=\frac{23}{2}$
⑤ $\left|+\frac{40}{5}\right|=\frac{40}{5}=8$

따라서, 원점으로부터 가장 거리가 먼 수는 ④ $-\frac{23}{2}$ 이다.

04 ① $-8<-5$
④ $\frac{1}{2}$ 은 정수가 아니다.

05 $a-b=10>0$이므로 $a>0$, $b<0$이다.
또, a와 b 사이의 거리가 10이므로 a, b의 절댓값은 각각 5이다.
따라서, $a=5$, $b=-5$

06 (음수)$<0<$(양수), 두 양수에서는 절댓값 큰 수가 크고, 두 음수에서는 절댓값 작은 수가 크다.
① $-3>-9$
② $+2>-3$
④ $|-4|<|-5|$
⑤ $-0.2>-\frac{1}{2}$

07 ④ 음수끼리는 절댓값 작은 수가 크다.

08 $a=-2+5=3$, $b=-2-5=-7$이므로
$-a-b=-3-(-7)=4$

09 두 수 사이에 있는 정수는 -2, -1, 0, 1, 2, 3으로 6개이다.

10 $-\dfrac{7}{2} \le x < +3.16$이므로

정수는 $-3,\ -2,\ -1,\ 0,\ +1,\ +2,\ +3$의 7개이다.

11 ① $(+2)-(-3)=+5$이고, 나머지의 계산 결과는 $+7$이다.

12 $x=4,\ y=-2$이므로 $|x-y|=6$

13 $\dfrac{5}{4}+\left(-\dfrac{2}{3}\right)-\left(-\dfrac{1}{6}\right)$

$=\dfrac{15}{12}+\left(-\dfrac{8}{12}\right)+\left(+\dfrac{2}{12}\right)$

$=\dfrac{15-8+2}{12}=\dfrac{9}{12}=\dfrac{3}{4}$

14 절댓값이 같고 부호가 반대인 수를 구한다.

$a-b<0$에서 $a<b$이므로

$a=-6,\ b=6$

15 ① $(-1)^7=-1$

② $(-2)^5=-32$

③ $(-3)^3=-27$

④ $-2^4=-16$

⑤ $(-1)^2=+1$

16 $a\times b>0$에서 $a,\ b$의 부호가 같고, $a+b<0$이므로 $a,\ b$ 모두 음수이다.

17 n이 짝수이면 $(-1)^n=+1$, n이 홀수이면 $(-1)^n=-1$

$(-1)^{2018}+(-1)^{2019}+(-1)^{2020}$

$=(+1)+(-1)+(+1)=1$

18 $1\dfrac{3}{4}=\dfrac{7}{4}$이므로 $a=\dfrac{4}{7},\ b=-\dfrac{10}{12}=-\dfrac{5}{6}$

$\therefore\ a+b=\dfrac{4}{7}+\left(-\dfrac{5}{6}\right)=\dfrac{24-35}{42}=-\dfrac{11}{42}$

19 $a\times(b+c)=a\times b+a\times c=15$이므로

$5+a\times c=15,\ a\times c=15-5=10$

20 $a<0,\ b>0,\ |a|<|b|$이므로 크기는

$-b<a<-a<b<b-a$

21 $\left(-\dfrac{2}{3}\right)\times(-6)\div\left\{\dfrac{1}{2}-\left(-\dfrac{3}{4}\right)\right\}$

$=\left(-\dfrac{2}{3}\right)\times(-6)\div\left(+\dfrac{5}{4}\right)$

$=4\times\dfrac{4}{5}=\dfrac{16}{5}$

22 $\left(-\dfrac{2}{3}\right)\times\left(-\dfrac{5}{6}\right)\div\left(+\dfrac{10}{27}\right)-1$

$=\left(+\dfrac{5}{9}\right)\times\left(+\dfrac{27}{10}\right)-1$

$=\left(+\dfrac{3}{2}\right)-1=+\dfrac{1}{2}$

23 $(-3)^2\times\left(-\dfrac{2}{3}\right)+(-25)\div\left(+\dfrac{5}{2}\right)$

$=(-6)+(-10)=-16$

24 -4보다 2만큼 작은 수 : $-4-2=-6$

-2보다 7만큼 큰 수 : $-2+7=5$

-3보다 -5만큼 큰 수 : $-3+(-5)=-8$

$(-6)\times5\div(-8)=(-30)\times\left(-\dfrac{1}{8}\right)=\dfrac{15}{4}$

25 $2\times\left\{\left(-\dfrac{1}{3}\right)\times\dfrac{9}{10}-\dfrac{4}{5}\div\left(-\dfrac{8}{7}\right)\right\}$

$=2\times\left\{-\dfrac{3}{10}-\dfrac{4}{5}\times\left(-\dfrac{7}{8}\right)\right\}$

$=2\times\left(-\dfrac{3}{10}+\dfrac{7}{10}\right)$

$=2\times\dfrac{4}{10}=\dfrac{4}{5}$

26 $\left(-\dfrac{2}{3}\right)\times\left(-\dfrac{1}{2}\right)^3\div\left\{\left(-\dfrac{1}{5}\right)-\left(-\dfrac{2}{3}\right)\right\}$

$=\left(-\dfrac{2}{3}\right)\times\left(-\dfrac{1}{8}\right)\div\left\{\left(-\dfrac{1}{5}\right)+\left(+\dfrac{2}{3}\right)\right\}$

$=\left(+\dfrac{1}{12}\right)\div\left(+\dfrac{7}{15}\right)$

$=\left(+\dfrac{1}{12}\right)\times\left(+\dfrac{15}{7}\right)=\dfrac{5}{28}$

따라서, $\dfrac{5}{28}$의 역수는 $\dfrac{28}{5}$이다.

Ⅲ. 문자와 식

7 문자의 사용과 식의 값
본문 pp. 62~69

기본 체크

01 (1) $a+5$　(2) $4\times b$　(3) $2\times x$　(4) $y\div 5$

02 (1) $3a$　(2) $-2(c-1)$　(3) $6d-\dfrac{4}{e}$　(4) $\dfrac{z-1}{bc}$

03 (1) 1　(2) 4　(3) 3　(4) 0

대표 예제

01 (1) (거리)=(속력)×(시간)이므로 $3\times\boxed{b}$ (km)

(2) (정가)=(원가)+(이윤)이므로

$\boxed{c}+c\times\dfrac{11}{100}=c+\boxed{\dfrac{11}{100}c}$ (원)

(3) (시간)$=\dfrac{(거리)}{(속력)}$ 이므로 $\boxed{\dfrac{8}{y}}$ (시간)

(4) (거스름돈)=(지불금액)−(물건의 값)이므로

$10000-\boxed{z}\times 2=10000-\boxed{2z}$ (원)

02 (1) $-2\times c\times a=\boxed{-2a}\,\boxed{c}$

(2) $0.1\times(x+y)\times a=\boxed{0.1a}\,(x+y)$

03 (1) $3\div x\times y=3\times\boxed{\dfrac{1}{x}}\times y=\boxed{\dfrac{3y}{x}}$

(2) $5\div x\div y=5\times\boxed{\dfrac{1}{x}}\times\dfrac{1}{y}=\boxed{\dfrac{5}{xy}}$

04 (1) $3x+1=3\times(\boxed{-2})+1=\boxed{-6}+1=\boxed{-5}$

(2) $4x^2=4\times(\boxed{-2})^2=4\times\boxed{4}=\boxed{16}$

(3) $-5x-2=-5\times(\boxed{-2})-2=\boxed{10}-2=\boxed{8}$

(4) $-x^2+3=-(\boxed{-2})^2+3=-\boxed{4}+3=\boxed{-1}$

05 (1) $2x+y=2\times\boxed{2}+(\boxed{-3})=\boxed{4}+(\boxed{-3})=\boxed{1}$

(2) $\dfrac{6}{x}-\dfrac{12}{y}=\dfrac{6}{\boxed{2}}-\dfrac{12}{\boxed{-3}}=\boxed{3}+\boxed{4}=\boxed{7}$

어떤 교과서에나 나오는 문제　출제율 100% 기본기 쌓기

01 (1) $3x+7$　(2) $(5a+1500)$원　(3) $3x+y$

02 (1) $-0.1ab^2$　(2) $-5abc$　**03** ①　**04** ④

05 (1) $-\dfrac{3a}{b}$　(2) $1-\dfrac{x+1}{3}$　(3) $-\dfrac{3a}{2}$

06 (1) -3　(2) 5　**07** ⑤　**08** ⑤　**09** ⑤

10 (1) abc cm^3　(2) 30 cm^3

03 ② $\dfrac{(a+b)y}{x}$　③ $a+\dfrac{by}{x}$

④ $a+\dfrac{bx}{y}$　⑤ $a+\dfrac{b}{xy}$

04 $a\times b\div c\times(x\div y)=a\times b\times\dfrac{1}{c}\times\left(x\times\dfrac{1}{y}\right)$

$=\dfrac{ab}{c}\times\dfrac{x}{y}=\dfrac{abx}{cy}$

05 (1) $a\times(-3)\div b=a\times(-3)\times\dfrac{1}{b}=\dfrac{(-3)a}{b}=-\dfrac{3a}{b}$

(2) $1-(x+1)\div 3=1-\dfrac{x+1}{3}$

(3) $a\times 3\div(-2)=a\times 3\times\dfrac{1}{-2}=\dfrac{3a}{-2}=-\dfrac{3a}{2}$

06 (1) $\dfrac{1-5x}{3}=\dfrac{1-5\times 2}{3}=-3$

(2) $x^2+3x-5=2^2+3\times 2-5=4+6-5=5$

07 ① $\dfrac{1}{-3}+1=\dfrac{2}{3}$

② $3\times(-3)-1=-10$

③ $2\times(-3)^2=18$

④ $2-5\times(-3)=17$

⑤ $\{-(-3)\}^3=3^3=27$

08 ① $a^2+b^2=1^2+(-2)^2=1+4=5$

② $a-2b=1-2\times(-2)=1-(-4)=1+4=5$

③ $3a-b=3\times 1-(-2)=3+2=5$

④ $a+(-b)^2=1+\{-(-2)\}^2=1+4=5$

⑤ $\dfrac{8a+b}{2}=\dfrac{8\times 1+(-2)}{2}=\dfrac{8-2}{2}=\dfrac{6}{2}=3$

09 $a^2-2ab=(-2)^2-2\times(-2)\times\dfrac{1}{4}$

$=4-\dfrac{2\times(-2)}{4}$

$=4-\dfrac{-4}{4}$

$=4-(-1)=4+1=5$

10 (1) (직육면체의 부피)

$=$(가로의 길이)×(세로의 길이)×(높이)$=abc$ (cm^3)

(2) $abc=3\times 2\times 5=30$ (cm^3)

01 (1) ab cm^2 (2) $85x$ km   (3) $\dfrac{4}{5}x$원   02 ②

03 ④   04 $15(100-a)$원   05 (1) $5x, y$ (2) $\dfrac{1}{b}, ab$

06 ④   07 ④   08 ③   09 ②   10 26

11 (1) -3 (2) $\dfrac{37}{2}$ 12 ②   13 초속 11 m

14 $42(a-6)$ cm^3 15 2   16 ④

17 $S=\dfrac{h(x+y)}{2}, 24$ 18 ⑤

01 (1) $a \times b = ab(\text{cm}^2)$

(2) $85 \times x = 85x(\text{km})$

(3) $x - x \times \dfrac{20}{100} = x \times \left(1 - \dfrac{1}{5}\right)$

$= x \times \dfrac{4}{5} = \dfrac{4}{5}x(원)$

02 $500 \times x + 100 \times y = 500x + 100y$

03 $A = 12 - 3 = 9, B = 8 \times 2 + 3 = 16 + 3 = 19$

$\therefore A + B = 9 + 19 = 28$

04 $1500 - 1500 \times \dfrac{a}{100} = 1500 \times \left(1 - \dfrac{a}{100}\right)$

$= 1500 \times \left(\dfrac{100-a}{100}\right)$

$= 15(100-a)(원)$

05 (1) $5 \times x \div y = 5x \times \dfrac{1}{y} = \dfrac{5x}{y}$

(2) $2 \div a \div b = 2 \times \dfrac{1}{a} \times \dfrac{1}{b} = \dfrac{2}{ab}$

06 ① $a \div b \times 2 = a \times \dfrac{1}{b} \times 2 = \dfrac{2a}{b}$

② $2 \times (x+y) \div 3 = 2 \times (x+y) \times \dfrac{1}{3} = \dfrac{2(x+y)}{3}$

$= \dfrac{2x+2y}{3}$

③ $a \times a \times a \div 3 = a^3 \times \dfrac{1}{3} = \dfrac{a^3}{3}$

④ $(x+y) \div y = (x+y) \times \dfrac{1}{y} = \dfrac{x+y}{y} = \dfrac{x}{y} + \dfrac{y}{y}$

$= \dfrac{x}{y} + 1$

⑤ $a \div (b+c) = a \times \dfrac{1}{b+c} = \dfrac{a}{b+c}$

07 ① $(a-b) \times x \div y = (a-b)x \times \dfrac{1}{y} = \dfrac{(a-b)x}{y}$

② $a - b \div x \div y = a - b \times \dfrac{1}{x} \times \dfrac{1}{y} = a - \dfrac{b}{xy}$

③ $a \div x - b \div y = \dfrac{a}{x} - \dfrac{b}{y} = \dfrac{ay-bx}{xy}$

④ $(a-b) \div x \times y = \dfrac{(a-b)y}{x}$

⑤ $(a-b) \div x \div y = (a-b) \times \dfrac{1}{x} \times \dfrac{1}{y} = \dfrac{a-b}{xy}$

08 ① $a + 2 = (-2) + 2 = 0$

② $\dfrac{2}{a} = \dfrac{2}{-2} = -1$

③ $-a = -(-2) = 2$

④ $3a - 1 = 3 \times (-2) - 1 = -6 - 1 = -7$

⑤ $a^2 - 4 = (-2)^2 - 4 = 4 - 4 = 0$

09 $\dfrac{3}{x} + \dfrac{2}{y} = 3 \div \dfrac{3}{2} + 2 \div \left(-\dfrac{2}{3}\right)$

$= 3 \times \dfrac{2}{3} + 2 \times \left(-\dfrac{3}{2}\right) = 2 + (-3) = -1$

10 $3(2x+5) + 5(-3x+1)$에 $x = -\dfrac{2}{3}$를 대입하면

$3 \times \left\{2 \times \left(-\dfrac{2}{3}\right) + 5\right\} + 5 \times \left\{(-3) \times \left(-\dfrac{2}{3}\right) + 1\right\}$

$= 3 \times \left\{\left(-\dfrac{4}{3}\right) + 5\right\} + 5 \times (2+1)$

$= 3 \times \dfrac{11}{3} + 5 \times 3 = 11 + 15 = 26$

[다른풀이] 식을 먼저 정리하면

$3(2x+5) + 5(-3x+1)$

$= 6x + 15 - 15x + 5 = -9x + 20$

$x = -\dfrac{2}{3}$를 대입하면

$-9 \times \left(-\dfrac{2}{3}\right) + 20 = 6 + 20 = 26$

11 (1) $2ab = 2 \times \left(-\dfrac{1}{2}\right) \times 3 = (-1) \times 3 = -3$

(2) $2a^2 + 2b^2 = 2 \times \left(-\dfrac{1}{2}\right)^2 + 2 \times 3^2$

$= 2 \times \dfrac{1}{4} + 2 \times 9$

$= \dfrac{1}{2} + 18 = \dfrac{37}{2}$

12 $9x^2 - 3x = 9 \times \left(-\dfrac{2}{3}\right)^2 - 3 \times \left(-\dfrac{2}{3}\right)$

$= 9 \times \dfrac{4}{9} + 3 \times \dfrac{2}{3} = 4 + 2 = 6$

13 $60 - 9.8t$에 $t = 5$를 대입하면

$60-9.8 \times 5 = 60-49 = 11$

따라서, 물체를 던져 올린 후 5초가 지났을 때의 물체의 속력은 초속 11 m이다.

14 직육면체의 밑넓이는
$(20-6) \times (a-6) = 14(a-6)(cm^2)$이고,
높이는 3 cm이므로 직육면체의 부피는
$14(a-6) \times 3 = 42(a-6)(cm^3)$

15 □ 안의 수를 a라 하면
$$(6x+a) \div a = (6x+a) \times \frac{1}{a} = \frac{6}{a}x + \frac{a}{a}$$
$$= \frac{6}{a}x + 1 = 3x + 1$$
$\frac{6}{a} = 3$이므로 $a=2$

16 ① $-a^3 = -(-2)^3 = -(-8) = 8$
② $2a^2 = 2 \times (-2)^2 = 8$
③ $(-a)^3 = \{-(-2)\}^3 = 8$
④ $a^3 = (-2)^3 = -8$
⑤ $-2^2a = -2^2 \times (-2) = -4 \times (-2) = 8$

17 (사다리꼴의 넓이)
$= \frac{1}{2} \times \{(윗변의 길이)+(아랫변의 길이)\} \times (높이)$
$\therefore S = \frac{1}{2} \times (x+y) \times h = \frac{h(x+y)}{2}$
$S = \frac{h(x+y)}{2}$에 $x=5$, $y=7$, $h=4$를 대입하면
$S = \frac{4 \times (5+7)}{2} = 2 \times 12 = 24$

18 $2x-3$에 $x=9$를 대입하면
$2 \times 9 - 3 = 18 - 3 = 15$

기본 체크

01 해설 참조
02 (1) $-10x$　(2) $-12x$　(3) $-2x$　(4) $\frac{3}{2}x$
03 ①과 ⑤, ③과 ⑧, ⑥과 ⑦

01

	항의 개수	상수항	다항식의 차수	일차항의 계수
$-2x+3$	2	3	1	-2
$\frac{1}{3}y-1$	2	-1	1	$\frac{1}{3}$
$3a^2-4a+6$	3	6	2	-4

대표 예제

01 (1) $2x \times 5 = 2 \times \boxed{5} \times x = \boxed{10x}$

(2) $(-3x) \div 7 = (-3x) \times \boxed{\frac{1}{7}}$
$= (-3) \times \boxed{\frac{1}{7}} \times x = \boxed{-\frac{3}{7}x}$

02 (1) $2(3x-1) = 2 \times \boxed{3x} + 2 \times (\boxed{-1}) = \boxed{6x-2}$
(2) $-2(5x-3) = -2 \times \boxed{5x} - 2 \times (\boxed{-3}) = \boxed{-10x+6}$

03 (1) $(-9x+6) \div \frac{3}{2} = (-9x+6) \times \boxed{\frac{2}{3}}$
$= -9x \times \boxed{\frac{2}{3}} + 6 \times \boxed{\frac{2}{3}} = \boxed{-6x+4}$

(2) $\frac{2x-9}{-6} = \frac{2x}{\boxed{-6}} - \frac{9}{\boxed{-6}} = \boxed{-\frac{x}{3} + \frac{3}{2}}$

04 (1) $2a+(3a-1) = 2a + \boxed{3a} - \boxed{1} = \boxed{5a-1}$
(2) $(4b-3)-(7b-5) = 4b-3-\boxed{7b}+\boxed{5} = \boxed{-3b+2}$
(3) $2(3x-1)-(x-7) = 6x-\boxed{2}-x+\boxed{7} = \boxed{5x+5}$
(4) $2(y-4)-5(y-3) = 2y-\boxed{8}-5y+\boxed{15} = \boxed{-3y+7}$

05 식을 계산하면
$$-2(3x+1) + \frac{1}{3}(15x-9)$$
$$= (-6x-2) + (\boxed{5x-3})$$
$$= -6x-2+\boxed{5x}-\boxed{3} = \boxed{-x-5}$$
따라서, $a = \boxed{-1}$, $b = \boxed{-5}$이므로 $ab = \boxed{5}$

01 (1) 3	(2) -3	(3) 5	(4) 2	02 ④	03 ②
04 ③	05 ④	06 ④	07 $\dfrac{5}{4}$		08 ⑤

01 $2x^2+5x-3$에서
(1) 항은 $2x^2$, $5x$, -3의 3개이다.
(2) 상수항은 -3이다.
(3) x의 계수는 5이다.
(4) 차수가 가장 높은 항이 x^2이므로 다항식의 차수는 2이다.

02 ① 항은 2개이다.
② 일차식이다.
③ 상수항은 -3이다.
⑤ $x=3$일 때, $2 \times 3-3=6-3=3$이므로 식의 값은 3이다.

03 $3x^2+x-4$에서 x의 계수는 $a=1$, 다항식의 차수는 $b=2$, 상수항은 $c=-4$이다.
$\therefore a+b+c=1+2+(-4)=1+2-4=-1$

04 ㅁ. 이차식
ㅂ. $x+5-x=5$
따라서, 일차식은 ㄴ, ㄷ, ㄹ로 3개이다.

05 ④ $(8a-24) \div \left(-\dfrac{4}{3}\right)=-6a+18$

06 어떤 식을 A라고 하면
$3x-4-A=-2x+7$
$\therefore A=(3x-4)-(-2x+7)$
$\quad\quad =3x-4+2x-7=5x-11$
따라서, 바르게 계산한 식은
$3x-4+A=(3x-4)+(5x-11)$
$\quad\quad\quad\quad\quad =3x-4+5x-11$
$\quad\quad\quad\quad\quad =8x-15$

07 $\dfrac{a+5}{2}+\dfrac{3a-3}{4}=\dfrac{a}{2}+\dfrac{5}{2}+\dfrac{3a}{4}-\dfrac{3}{4}$
$\quad\quad\quad\quad\quad\quad =\left(\dfrac{1}{2}+\dfrac{3}{4}\right)a+\dfrac{5}{2}-\dfrac{3}{4}$
$\quad\quad\quad\quad\quad\quad =\dfrac{5}{4}a+\dfrac{7}{4}$

08 $\dfrac{1}{2}(3x-2)+\dfrac{1}{3}(x+1)=\dfrac{3x-2}{2}+\dfrac{x+1}{3}$
$\quad\quad\quad\quad\quad\quad\quad\quad =\dfrac{3}{2}x-1+\dfrac{1}{3}x+\dfrac{1}{3}$
$\quad\quad\quad\quad\quad\quad\quad\quad =\dfrac{9+2}{6}x+\dfrac{-3+1}{3}$

$\quad\quad\quad\quad\quad\quad\quad\quad =\dfrac{11}{6}x-\dfrac{2}{3}$

따라서, x의 계수는 $\dfrac{11}{6}$, 상수항은 $-\dfrac{2}{3}$이므로 두 값의 합은
$\dfrac{11}{6}+\left(-\dfrac{2}{3}\right)=\dfrac{11}{6}-\dfrac{4}{6}=\dfrac{7}{6}$

01 ②	02 ⑤	03 ①	04 ②	05 ②
06 ㄴ, ㄷ, ㄹ	07 ②	08 ④	09 ④	

10 (1) $8x-12$ 　(2) $-3a+\dfrac{3}{2}$ 　(3) $2y-9$ 　11 ③
12 $4x+3$ 　13 (1) $\dfrac{3}{2}x+\dfrac{7}{4}y$ 　(2) $-\dfrac{7}{6}a+\dfrac{2}{3}$
14 -30 　15 $-6a+1$ 　16 ③ 　17 $4x+13$
18 ⑤ 　19 $14x+52$

01 x^2-2x+3에서 x의 계수는 -2이므로 $a=-2$, x^2의 차수는 2이므로 $b=2$, 상수항은 3이므로 $c=3$
$\therefore abc=(-2) \times 2 \times 3=-12$

02 ① $2x+x^2$의 차수는 2
② $7x+3$의 차수는 1
③ $1-x^2$의 차수는 2
④ $0.2x-1.3$의 차수는 1
⑤ $1+\dfrac{3}{2}x-\dfrac{2}{3}x^3$의 차수는 3

03 $-3x+5y-1$에서 항은 $-3x$, $5y$, -1의 3개이고 x의 계수는 -3, 상수항은 -1이다.
$\therefore a+b-c=3+(-3)-(-1)=1$

04 ① 3개의 항 $-x^2$, $2x$, -1의 합으로 이루어진 다항식이다.
③ 이차식이다.
④ 상수항은 -1이다.
⑤ x의 계수는 2이다.

05 ①, ③, ④, ⑤ 항이 2개인 다항식이다.

06 ㄱ. 차수가 2이므로 일차식이 아니다.
ㅁ. 분모에 x가 있으므로 일차식이 아니다.

07 ① $3(a-2)=3a-6$
③ $3 \times (5+x)=15+3x$
④ $(6x+18) \div 3=2x+6$
⑤ $\dfrac{20y-35}{5}=4y-7$

08 ① $12a \div 3 = 12a \times \dfrac{1}{3} = 4a$

② $3x \div (-7) = 3x \times \dfrac{1}{-7} = -\dfrac{3}{7}x$

③ $(-5b) \div 10 = (-5b) \times \dfrac{1}{10} = -\dfrac{b}{2}$

④ $(-4y) \div (-2) = (-4y) \times \dfrac{1}{-2} = 2y$

⑤ $\dfrac{2}{5}c \div \left(-\dfrac{4}{15}\right) = \dfrac{2}{5}c \times \left(-\dfrac{15}{4}\right) = -\dfrac{3}{2}c$

09 ④ $\dfrac{2}{5}y$와 $5y$는 문자와 차수가 같으므로 동류항이다.

10 (1) $\dfrac{4}{3}(6x-9) = \dfrac{4}{3} \times 6x - \dfrac{4}{3} \times 9 = 8x-12$

(2) $\left(\dfrac{1}{3}a - \dfrac{1}{6}\right) \times (-9) = \dfrac{1}{3}a \times (-9) - \dfrac{1}{6} \times (-9)$
$\qquad\qquad\qquad\qquad = -3a - \left(-\dfrac{3}{2}\right)$
$\qquad\qquad\qquad\qquad = -3a + \dfrac{3}{2}$

(3) $\left(\dfrac{y}{3} - \dfrac{3}{2}\right) \div \dfrac{1}{6} = \left(\dfrac{y}{3} - \dfrac{3}{2}\right) \times 6 = \dfrac{y}{3} \times 6 - \dfrac{3}{2} \times 6$
$\qquad\qquad\qquad\qquad = 2y - 9$

11 ① $2x - (x-3) = 2x - x + 3 = x+3$

② $(3x+2) + (1-2x) = 3x+2+1-2x = x+3$

③ $(4x+6) - (5x+3) = 4x+6-5x-3 = -x+3$

④ $-(x+3) + (6+2x) = -x-3+6+2x = x+3$

⑤ $\dfrac{1}{2}(4x-6) - \dfrac{1}{3}(3x-18) = (2x-3) - (x-6)$
$\qquad\qquad\qquad\qquad\qquad = 2x-3-x+6$
$\qquad\qquad\qquad\qquad\qquad = x+3$

12 $\square = 5(2x-1) - 2(3x-4)$
$\qquad = 10x - 5 - 6x + 8$
$\qquad = 4x + 3$

13 (1) $3x + \dfrac{1}{2}y - \dfrac{3}{2}x + \dfrac{5}{4}y$
$\qquad = \left(3 - \dfrac{3}{2}\right)x + \left(\dfrac{1}{2} + \dfrac{5}{4}\right)y = \dfrac{3}{2}x + \dfrac{7}{4}y$

(2) $-\dfrac{3}{2}a + 4 + \dfrac{1}{3}a - \dfrac{10}{3}$
$\qquad = \left(-\dfrac{3}{2} + \dfrac{1}{3}\right)a + \left(4 - \dfrac{10}{3}\right) = -\dfrac{7}{6}a + \dfrac{2}{3}$

14 $4(3x-5) - 3(5x+3) + 4x - 2$
$= (12x-20) - (15x+9) + 4x - 2$
$= 12x - 20 - 15x - 9 + 4x - 2$
$= (12-15+4)x - 20 - 9 - 2$
$= x - 31$
따라서, x의 계수는 1, 상수항은 -31이므로
x의 계수와 상수항의 합은
$1 + (-31) = 1 - 31 = -30$

15 $2a - [5a + \{1 - 3(2-a)\}] - 4$
$= 2a - \{5a + (1 - 6 + 3a)\} - 4$
$= 2a - \{5a + (-5 + 3a)\} - 4$
$= 2a - (5a - 5 + 3a) - 4$
$= 2a - (8a - 5) - 4$
$= 2a - 8a + 5 - 4$
$= -6a + 1$

16 $2x \div 3 + 6x \times \dfrac{1}{3} = 2x \times \dfrac{1}{3} + 6x \times \dfrac{1}{3}$
$\qquad\qquad\qquad\quad = \dfrac{2}{3}x + 2x = \dfrac{8}{3}x$

17 $A = 3x+5$, $B = 2x-3$을 대입하면
$2A - B = 2(3x+5) - (2x-3)$
$\qquad = 6x + 10 - 2x + 3$
$\qquad = 4x + 13$

18 $-2(x-5) - \left\{\dfrac{1}{4}(-8x+12) + x\right\}$
$= -2x + 10 - (-2x + 3 + x)$
$= -2x + 10 - (-x + 3)$
$= -2x + 10 + x - 3$
$= -x + 7$
따라서, x의 계수는 -1이므로 $a = -1$이고,
상수항은 7이므로 $b = 7$
$\therefore a + b = -1 + 7 = 6$

19 (직육면체의 겉넓이)
$= (x+2) \times 3 \times 2 + (x+2) \times 4 \times 2 + 3 \times 4 \times 2$
$= 6x + 12 + 8x + 16 + 24 = 14x + 52$

9 일차식방정식과 그 해

본문 pp. 78~85

 기본 체크

01 ㉡ 좌변 : $5x-4$, 우변 : 8,
 ㉢ 좌변 : $9-3$, 우변 : 6
02 방정식 : ㉠, ㉢, 항등식 : ㉡
03 (1) 2 (2) 5 (3) $7b$ (4) $\dfrac{b}{9}$

 대표 예제

01 $x=\boxed{3}$을 대입하여 등식이 참이 되는 방정식을 찾는다.
 ① (좌변)$=3-5=\boxed{-2}$ 따라서, (좌변)$\ne$(우변)
 ② (좌변)$=2\times3+4=\boxed{10}$ 따라서, (좌변)$\boxed{\ne}$(우변)
 ③ (좌변)$=4\times3-5=\boxed{7}$ 따라서, (좌변)$\boxed{\ne}$(우변)
 ④ (좌변)$=5\times3-7=\boxed{8}$ 따라서, (좌변)$\boxed{=}$(우변)
 ⑤ (좌변)$=-2\times3+7=\boxed{1}$ 따라서, (좌변)$\boxed{\ne}$(우변)
 따라서, $x=3$을 해로 갖는 것은 $\boxed{④}$이다.

02 $-x+4=3(a-2)$에 $x=\boxed{1}$을 대입하면
 $\boxed{-1}+4=3a-6$
 $\boxed{9}=3a$
 $\therefore x=\boxed{3}$

03 등식의 성질을 이용하여 $ax=b$의 꼴로 변형하여 방정식의 해를 구한다.
 $5x+3-x=2x+9$
 $5x-x-\boxed{2x}=9-\boxed{3}$
 $\boxed{2}x=\boxed{6}$
 $\therefore x=\boxed{3}$

04 $\dfrac{x}{2}-2=-5$
 $\dfrac{x}{2}-2+\boxed{2}=-5+\boxed{2}$
 $\dfrac{x}{2}=\boxed{-3}$
 $\dfrac{x}{2}\times\boxed{2}=-3\times\boxed{2}$
 $\therefore x=\boxed{-6}$

어떤 교과서에나 나오는 문제 / 출제율 100% 기본기 쌓기

01 ①, ④	02 ⑤	03 ①	04 ③	05 ④
06 ②	07 ②	08 ⑤	09 $x=3$	

01 등호 (=)가 들어 있는 식을 찾는다.
 ②, ⑤는 부등호로 연결되어 있으므로 등식이 아니다.

02 ⑤ (좌변)$=2x-(x-8)$
 $=2x-x+8$
 $=x+8=$(우변)

03 $-2x+3=2(x+4)+\square$
 $-2x+3=2x+8+\square$
 항등식은 양변이 같아야 하므로
 $\square=-4x-5$

04 ① $2\times(-3)+3\ne-1$: 거짓
 ② $(-3)-5\ne-2$: 거짓
 ③ $-(-3)-6=-3$: 참
 ④ $-3-1\ne2\times(-3)+3$: 거짓
 ⑤ $5\times(-3)-2\ne3\times(-3)$: 거짓

05 각 식에 $x=3$을 대입하면
 ① $2x-3=6-3=3\ne1$
 ② $4x-3=12-3=9\ne2x-1=6-1=5$
 ③ $\dfrac{x}{3}+3=\dfrac{3}{3}+3=1+3=4\ne5$
 ④ $8+3x=8+9=17=2x+11=6+11=17$
 ⑤ $\dfrac{x+1}{4}=\dfrac{3+1}{4}=\dfrac{4}{4}=1\ne2$

06 ① $x-4=7$에 $x=3$을 대입하면 $3-4=-1\ne7$
 ② $2x+3=2$에 $x=-\dfrac{1}{2}$을 대입하면 $-1+3=2$
 ③ $4x=4$에 $x=0$을 대입하면 $0\ne4$
 ④ $-\dfrac{1}{2}x=3$에 $x=6$을 대입하면 $-\dfrac{6}{2}=-3\ne3$
 ⑤ $6x=4x-7$, $2x=-7$에 $x=1$을 대입하면 $2\ne-7$

07 ① $a+1=b$의 양변에 2를 곱하면 $2a+2=2b$
 ② $a+2=b+2$의 양변에서 2를 빼면 $a=b$
 ③ $\dfrac{a}{3}=\dfrac{b}{4}$의 양변에 12를 곱하면 $4a=3b$
 ④ $ac=bc$에서 $c=0$이면 $a\ne b$일 수 있다.
 ⑤ $a=b$의 양변에 5를 곱하면 $5a=5b$

08 $a=-x+3$에 $x=-3$을 대입하면
 $a=-(-3)+3=3+3=6$

09 $2x+3=4x-3$의 양변에서 $4x$를 빼면
$$2x+3-4x=4x-3-4x$$
$$-2x+3=-3$$
양변에서 3을 빼면
$$-2x+3-3=-3-3$$
$$-2x=-6$$
양변을 -2로 나누면
$$\frac{-2x}{-2}=\frac{-6}{-2}$$
$$\therefore x=3$$

시험에 꼭 나오는 문제   기출 베스트 컬렉션

01 $4(x-3)=5x-6$	02 ⑤	03 -3	04 ②
05 (1) -5 (2) -3	06 ②, ③	07 ④	08 ㄷ, ㅁ
09 (1) $x=1$ (2) $x=2$	10 -8	11 -2	12 ③
13 ③	14 ④	15 ④	16 ②	17 ④
18 $x=1$	19 $x=4$		

02 ⑤ 우변의 식을 정리하면
$$3(x+1)-2x=3x+3-2x=x+3$$
따라서, 좌변과 우변이 같으므로 항등식이다.

03 $-3(x+2)=-6+ax$
$$-3x-6=-6+ax$$
좌변과 우변이 같아야 하므로
$$a=-3$$

04 x의 모든 값에 대하여 항상 참이 되는 등식은
ㄱ. $2x-2=2x-2$
ㄷ. $(4-1)x=3x$이므로
항등식은 ㄱ, ㄷ이다.

05 (1) $3(2x-3)+4=6x+\square$에서
(좌변)$=6x-9+4=6x-5$
(우변)$=6x+\square$
(좌변)$=$(우변)이어야 하므로
$$\square=-5$$
(2) $3x+\square+2x-5=5x-8$에서
(좌변)$=5x+\square-5$
(우변)$=5x-8$
(좌변)$=$(우변)이어야 하므로
$$\square-5=-8 \quad \therefore \square=-3$$

06 ② $2x-3=-5$에 $x=1$을 대입하면
$$2-3=-1$$
③ $\frac{x}{2}+\frac{1}{2}=2$에 $x=2$를 대입하면
$$\frac{2}{2}+\frac{1}{2}=\frac{3}{2}$$

07 ① (좌변)$=6$, (우변)$=5$
② (좌변)$=1$, (우변)$=3$
③ (좌변)$=-1$, (우변)$=2$
④ (좌변)$=-0.1$, (우변)$=-0.1$
⑤ (좌변)$=\frac{7}{6}$, (우변)$=1$

08 ㄱ. (좌변)$=-1$, (우변)$=-4$
ㄴ. (좌변)$=-4$, (우변)$=-7$
ㄷ. (좌변)$=5$, (우변)$=5$
ㄹ. (좌변)$=1$, (우변)$=-13$
ㅁ. (좌변)$=5$, (우변)$=5$
ㅂ. (좌변)$=-2$, (우변)$=1$

09 (1) $x=0$일 때, $3-0=3$
$x=1$일 때, $3-1=2$
$x=2$일 때, $3-2=1$
$x=3$일 때, $3-3=0$
따라서, $3-x=2$의 해는 $x=1$이다.
(2) $x=0$일 때, $0+1=1$, $0+3=3$
$x=1$일 때, $3+1=4$, $2+3=5$
$x=2$일 때, $6+1=7$, $4+3=7$
$x=3$일 때, $9+1=10$, $6+3=9$
따라서, $3x+1=2x+3$의 해는 $x=2$이다.

10 $\frac{3x+a}{2}=2x-3$에 $x=-2$를 대입하면
$$\frac{-6+a}{2}=-4-3=-7, \ -6+a=-14$$
$$\therefore a=-8$$

11 $-6(x-2)+x=5(ax+b)+2$
$$-6x+12+x=5ax+5b+2$$
$$-5x+12=5ax+5b+2$$
$$-5=5a \quad \therefore a=-1$$
$$12=5b+2 \quad \therefore b=2$$
$$\therefore ab=-2$$

12 $-4x+3a=7$에 $x=-1$을 대입하면
$$-4\times(-1)+3a=4+3a=7, \ 3a=3$$
$$\therefore a=1$$

13 $2x-3=9$에서 $2x=12$, $x=6$이므로
$3x-4=2a$에 $x=6$을 대입하면
$$3\times 6-4=2a, \ 14=2a$$
$$\therefore a=7$$

14 ④ $a=-1$의 양변에 a를 곱하면 $a^2=-a$

16 ① $a=b$의 양변에 $2c$를 더하면
$$a+2c=b+2c$$
③ $a=b$의 양변에 c를 곱하면 $ac=bc$
양변에서 d를 빼면 $ac-d=bc-d$

④ $a=b$의 양변을 c로 나누면 $\dfrac{a}{c}=\dfrac{b}{c}$

양변에 1을 더하면 $\dfrac{a}{c}+1=\dfrac{b}{c}+1$

⑤ $a=b$의 양변에 $3+c$를 곱하면
$a(3+c)=b(3+c)$

17 ④ $a+2=2(b+1)$
$a+2=2b+2$의 양변에서 2를 빼면
$a+2-2=2b+2-2$, $a=2b$

18 $-x-3=6x-10$의 양변에서 $6x$를 빼면
$-x-3-6x=6x-10-6x$
$-7x-3=-10$
양변에 3을 더하면
$-7x-3+3=-10+3$
$-7x=-7$
양변을 -7로 나누면
$\dfrac{-7x}{-7}=\dfrac{-7}{-7}$
∴ $x=1$

19 $\dfrac{4x-1}{5}=3$의 양변에 5를 곱하면
$4x-1=15$
양변에 1을 더하면
$4x-1+1=15+1$
$4x=16$
양변을 4로 나누면
$\dfrac{4x}{4}=\dfrac{16}{4}$
∴ $x=4$

10 일차방정식의 풀이 본문 pp. 86~93

 기본 체크

01 ㄴ, ㄷ
02 (1) $x=16$ (2) $x=2$ (3) $x=-10$ (4) $x=4$

대표 예제

01 (1) $x-3=5$
➡ $x=5+\boxed{3}$ ➡ $x=\boxed{8}$
(2) $x+2=-x$
➡ $x+x=\boxed{-2}$ ➡ $2x=\boxed{-2}$
(3) $3x-2=x+4$
➡ $3x-\boxed{x}=4+\boxed{2}$ ➡ $\boxed{2}x=\boxed{6}$
(4) $2x-1=-x+2$
➡ $2x+\boxed{x}=2+\boxed{1}$ ➡ $\boxed{3}x=\boxed{3}$

02 $2x-5=3$
$2x=3+\boxed{5}$
∴ $x=\boxed{4}$

03 좌변의 3을 이항하면
$2x=x-2-\boxed{3}$, $2x=x-\boxed{5}$
우변의 x를 이항하면
$2x-\boxed{x}=\boxed{-5}$　∴ $x=\boxed{-5}$

04 $3(x-1)=3$, $3x-\boxed{3}=3$
$3x=\boxed{6}$　∴ $x=\boxed{2}$

05 일차방정식 $\dfrac{2}{5}x-1=\dfrac{1}{15}$을 풀면
$6x-15=\boxed{1}$, $6x=\boxed{16}$
∴ $x=\boxed{\dfrac{8}{3}}$

$2(x-4)=3x-6(x-a)$를 간단히 정리하면
$2x-8=-3x+\boxed{6a}$, $5x=6a+8$이므로
$x=\boxed{\dfrac{8}{3}}$을 대입하면
$5\times\boxed{\dfrac{8}{3}}=6a+8$, $\boxed{\dfrac{16}{3}}=6a$
∴ $a=\boxed{\dfrac{8}{9}}$

01 ⑤	02 ③	03 (1) $x=4$	(2) $x=3$
04 (1) $x=3$	(2) $x=5$	05 $x=3$	06 ③
07 ①	08 ⑤	09 ④	10 5

01 ⑤ $2x=3x-6$ → $2x-3x=-6$이다.

02 $2(x-1)=x+3$, $2x-2=x+3$, $x=5$
따라서, $a=1$, $b=5$이므로
$a+b=1+5=6$

03 (1) $3x+2=14$, $3x=14-2$
$3x=12$, $x=\dfrac{12}{3}$ ∴ $x=4$

(2) $4=5x-11$, $4+11=5x$
$\dfrac{15}{5}=x$ ∴ $x=3$

04 (1) $5x-4=x+8$, $5x-x=8+4$
$4x=12$, $x=\dfrac{12}{4}$ ∴ $x=3$

(2) $5x-1=-3x+39$, $5x+3x=39+1$
$8x=40$, $x=\dfrac{40}{8}$ ∴ $x=5$

05 $2(x+3)=3(x+1)$, $2x+6=3x+3$
$-x=-3$ ∴ $x=3$

06 $\dfrac{2x-1}{3}+\dfrac{1}{4}=\dfrac{1}{2}x$
$\dfrac{2}{3}x-\dfrac{1}{3}+\dfrac{1}{4}=\dfrac{1}{2}x$, $\left(\dfrac{2}{3}-\dfrac{1}{2}\right)x=\dfrac{1}{3}-\dfrac{1}{4}$
$\dfrac{1}{6}x=\dfrac{1}{12}$

양변에 12를 곱하면
$2x=1$ ∴ $x=\dfrac{1}{2}$

$a=\dfrac{1}{2}$이므로 $2a^2=2\left(\dfrac{1}{2}\right)^2=\dfrac{1}{2}$

07 $0.4x-0.8=-2$의 양변에 10을 곱하면
$4x-8=-20$, $4x=-12$
∴ $x=-3$

08 $5x+3=2x-9$
$3x=-12$ ∴ $x=-4$
$2x+a=3x-6$에 $x=-4$를 대입하면
$2\times(-4)+a=3\times(-4)-6$
$-8+a=-12-6$
∴ $a=-10$

09 $(x-3):3=(2x-1):5$에서
$5(x-3)=3(2x-1)$
$5x-15=6x-3$

$-x=12$ ∴ $x=-12$
$\dfrac{x-3}{3}+a=2$에 $x=-12$를 대입하면
$\dfrac{-12-3}{3}+a=2$, $-5+a=2$
∴ $a=7$

10 $a(x-1)=3$에 $x=-2$를 대입하면
$a(-2-1)=3$, $-3a=3$ ∴ $a=-1$
$x-a(x-1)=7$에 $a=-1$을 대입하면
$x+(x-1)=7$, $x+x-1=7$
$2x=8$, $x=4$
∴ $b=4$
∴ $b-a=4-(-1)=4+1=5$

01 ③	02 $a\neq-3$	03 ②	04 ②	05 -2
06 ③	07 ⑤	08 $x=2$	09 ④	10 $\dfrac{1}{5}$
11 ④	12 -12	13 ②	14 10	15 ③
16 5	17 ④	18 -3		

01 일차방정식은 (일차식)$=0$의 꼴이므로 이차항이 없어져야 한다.
따라서, $a=2$

02 $a=-3$일 때, $3x+1=3x$, $1=0$으로 등식이 성립되지 않고,
일차방정식이 아니다.
따라서, a의 조건은 $a\neq-3$이다.

03 $3(x+1)=2(3x-1)-4$에서
$3x+3=6x-2-4$, $-3x=-9$, $x=3$
∴ $a=1$, $b=3$
∴ $a+b=1+3=4$

04 $x-3=3x+5$에서
$-2x=8$, $x=-4$
∴ $a=-4$

05 $x=2$를 각각 대입하면
$2(x+1)-3=-3(x+a)$
$2(2+1)-3=-3(2+a)$
$6-3=-6-3a$
$3a=-9$ ∴ $a=-3$
$\dfrac{2}{3}(x+b)=\dfrac{3x-2}{2}$
$\dfrac{2}{3}(2+b)=\dfrac{3\times2-2}{2}$
$\dfrac{4}{3}+\dfrac{2}{3}b=2$
$\dfrac{2}{3}b=\dfrac{2}{3}$ ∴ $b=1$

$\therefore a+b=-3+1=-2$

06 $-3(2x-1)=4(x-2)+1$에서
$-6x+3=4x-8+1$, $-10x=-10$
$\therefore x=1$

07 $x+4=2(x+3)$에서
$x+4=2x+6$, $-x=2$, $x=-2$
① $2x-3=7$에서 $2x=10$ $\therefore x=5$
② $\dfrac{1}{2}x+1=5$에서 $\dfrac{1}{2}x=4$ $\therefore x=8$
③ $-x-5=2x+7$에서 $-3x=12$ $\therefore x=-4$
④ $2(x+1)=-x+5$에서 $2x+2=-x+5$
$3x=3$ $\therefore x=1$
⑤ $-x-3.3=x+0.7$에서 $-10x-33=10x+7$
$-20x=40$ $\therefore x=-2$

08 $4(x-1)+x=6$, $4x-4+x=6$
$5x=10$ $\therefore x=2$

09 $0.3x-0.2=2(0.2x-1)$
$0.3x-0.2=0.4x-2$의 양변에 10을 곱하면
$3x-2=4x-20$, $-x=-18$
$\therefore x=18$

10 $\dfrac{2x+1}{3} : \dfrac{7}{6}=(x-3):-7$에서
$\dfrac{2x+1}{3}\times(-7)=\dfrac{7}{6}\times(x-3)$
양변에 6을 곱하면
$-14(2x+1)=7(x-3)$
양변을 7로 나누면
$-2(2x+1)=x-3$, $-4x-2=x-3$
$-5x=-1$
$\therefore x=\dfrac{1}{5}$

11 $0.1x-2=\dfrac{3}{5}x-4$의 양변에 10을 곱하면
$x-20=6x-40$, $-5x=-20$
$\therefore x=4$

12 $3x+1=7$에서 $3x=6$, $x=2$
$\therefore a=2$
$0.3x=\dfrac{1}{5}(x-3)$에서 $3x=2(x-3)$
$3x=2x-6$, $x=-6$
$\therefore b=-6$
$\therefore ab=2\times(-6)=-12$

13 $3-\dfrac{3x+1}{2}=x$에서 $6-3x-1=2x$
$-5x=-5$, $x=1$
$\therefore a=1$
$\therefore a^2-2a=1-2=-1$

14 $\dfrac{1}{2}x-\dfrac{1}{3}=x-1$의 양변에 6을 곱하면
$3x-2=6x-6$ $\therefore x=\dfrac{4}{3}$
$6x+2=a$에 $x=\dfrac{4}{3}$를 대입하면
$6\times\dfrac{4}{3}+2=a$ $\therefore a=10$

15 $\dfrac{2x+5}{4}+\dfrac{ax-3}{2}=-1$에 $x=-1$을 대입하면
$\dfrac{-2+5}{4}+\dfrac{-a-3}{2}=-1$
$\dfrac{3}{4}-\dfrac{a+3}{2}=\dfrac{3-2(a+3)}{4}=\dfrac{3-2a-6}{4}=-1$
$-2a-3=-4$, $-2a=-1$
$\therefore a=\dfrac{1}{2}$

16 $\dfrac{x}{3}-\dfrac{x-5}{4}=\dfrac{3}{2}$의 양변에 12를 곱하면
$4x-3(x-5)=18$, $4x-3x+15=18$, $x=3$
$\therefore a=3$
$0.3(2x+1)=0.2(x+3)+0.5$의 양변에 10을 곱하면
$3(2x+1)=2(x+3)+5$, $6x+3=2x+6+5$
$4x=8$, $x=2$
$\therefore b=2$
$\therefore a+b=3+2=5$

17 $\dfrac{2}{3}(x+0.2)=\dfrac{x}{2}-0.3(x-2)$의 양변에 30을 곱하면
$20(x+0.2)=15x-9(x-2)$
$20x+4=15x-9x+18$, $14x=14$
$\therefore x=1$

18 $3(x-2)=x-3$에서 $3x-6=x-3$
$2x=3$, $x=\dfrac{3}{2}$
$2x+a=b+x$의 해가 $x=\dfrac{3}{2}$의 2배이므로 $x=3$
$2x+a=b+x$에 $x=3$을 대입하면
$6+a=b+3$
$\therefore a-b=-3$

기본 체크

01 (1) $x+5=10$ (2) $1000x=8000$ (3) $\dfrac{x}{3}=2$

대표 예제

01 아이스크림의 개수를 x개라고 하면
음료수의 개수는 ($\boxed{7-x}$)개이다.
아이스크림과 음료수의 값은 각각
$1000x$, $1500(\boxed{7-x})$이므로 식을 세우면
$10000-1000x-1500(\boxed{7-x})=1500$
$10000-1000x-10500+\boxed{1500x}=1500$
$\boxed{500}x=\boxed{2000}$ $\therefore x=\boxed{4}$
따라서, 아이스크림은 $\boxed{4}$개 구입하였다.

02 동생의 나이를 x살이라고 하면 형의 나이는 ($\boxed{x+4}$)살이다.
이때, 형과 동생의 나이의 합이 28이므로
$x+(\boxed{x+4})=28$, $2x+\boxed{4}=28$
$2x=\boxed{24}$ $\therefore x=\boxed{12}$
따라서, 동생의 현재 나이는 $\boxed{12}$살이다.

03 연속하는 두 짝수를 x, $\boxed{x+2}$라고 하면
$x+(\boxed{x+2})=46$, $2x+\boxed{2}=46$
$2x=\boxed{44}$ $\therefore x=\boxed{22}$
따라서, 두 짝수 중 작은 수는 $\boxed{22}$이다.

04 가로의 길이를 x cm라 하면,
세로의 길이는 ($\boxed{x+3}$) cm이다.
$2 \times \{$(가로의 길이)$+$(세로의 길이)$\}$
$=$(직사각형의 둘레의 길이)이므로
식을 세우면 $2 \times \{x+(\boxed{x+3})\}=26$
방정식을 풀면
$2\{x+(\boxed{x+3})\}=26$, $2(\boxed{2x+3})=26$, $\boxed{4x+6}=26$
$\boxed{4}x=\boxed{20}$ $\therefore x=\boxed{5}$
따라서, 가로의 길이는 $\boxed{5}$ cm이다.

05 집에서 영화관까지의 거리를 x km라 하면
걸어갈 때 걸린 시간은 $\dfrac{x}{4}$시간,
자전거를 타고 갈 때 걸린 시간은 $\dfrac{x}{6}$시간이다.
(걸어갈 때 걸린 시간)$-$(자전거를 타고 갈 때 걸린 시간)
$=15$분$=\boxed{\dfrac{1}{4}}$시간이므로

$\dfrac{x}{4}-\dfrac{x}{6}=\boxed{\dfrac{1}{4}}$
방정식을 풀면
$3x-2x=\boxed{3}$ $\therefore x=\boxed{3}$
따라서, 집에서 영화관까지의 거리는 $\boxed{3}$ km이다.

어떤 교과서에나 나오는 문제   출제율 100% 기본기 쌓기

01 42, 43, 44		02 14년 후	03 4 cm 04 4
05 ③	06 ④	07 ④	08 24분

01 연속하는 세 정수를 $x-1$, x, $x+1$이라고 하면
$(x-1)+x+(x+1)=129$, $3x=129$
$\therefore x=43$
따라서, 세 정수는 42, 43, 44이다.

02 x년 후에 아버지의 나이가 딸의 나이의 3배가 된다고 하면,
$40+x=3(4+x)$
$40+x=12+3x$
$x-3x=12-40$
$-2x=-28$ $\therefore x=14$
따라서, 14년 후에 아버지의 나이가 딸의 나이의 3배가 된다.

03 가로의 길이를 x cm라고 하면, 세로의 길이는 $2x$ cm이다.
$2(x+2x)=24$, $6x=24$ $\therefore x=\dfrac{24}{6}=4$
따라서, 가로의 길이는 4 cm이다.

04 볼펜의 개수가 x일 때, 싸인펜의 개수는 $(7-x)$개이므로
$200x+300(7-x)=1700$
$-100x=-400$ $\therefore x=4$
따라서, 볼펜의 개수는 4개이다.

05 x개월 후에 준영이의 예금액이 은희의 예금액의 3배가 된다고 하면
$150000+5000x=3(10000+5000x)$
$150000+5000x=30000+15000x$
$10000x=120000$
$\therefore x=12$

06 구하는 분수를 $\dfrac{x}{72-x}$라고 하면
$x:(72-x)=4:5$
$5x=4(72-x)$
$5x=288-4x$
$5x+4x=288$
$9x=288$ $\therefore x=32$
분자는 32이고 분모는 $72-32=40$이므로 $\dfrac{32}{40}$이다.
따라서, 분자는 32이다.

07 올라갈 때 걸은 거리를 x km라고 하면

$\dfrac{x}{4}+\dfrac{x}{6}=5$, $3x+2x=60$, $5x=60$

$\therefore x=12$

따라서, 올라갈 때 걸은 거리는 12 km이다.

08 두 사람이 만날 때까지 걸린 시간을 x시간이라고 하면

두 사람의 움직인 거리의 합이 10 km이므로

$10x+15x=10$, $25x=10$, $x=\dfrac{2}{5}$

따라서, 두 사람이 만날 때까지 걸린 시간은 $\dfrac{2}{5}$시간, 즉 24분

이다.

시험에 꼭 나오는 문제 · 기출 베스트 컬렉션

01 28	02 63	03 4개	04 12살	05 51명
06 6500원	07 6개	08 5000원	09 ③	10 6
11 3 km	12 ④	13 2분	14 12일	15 6일
16 ④	17 340명			

01 연속하는 세 짝수를 x, $x+2$, $x+4$라고 하면

$x+(x+2)+(x+4)=78$, $3x+6=78$, $3x=72$

$\therefore x=24$

따라서, 연속하는 세 짝수는 24, 26, 28이므로 이 중에서 가장
큰 수는 28이다.

02 10의 자리의 숫자를 x라고 하면

$10x+3=7(x+3)$

$10x+3=7x+21$

$3x=18$ $\therefore x=6$

따라서, 구하는 수는 63이다.

03 7점의 과녁을 맞춘 화살의 개수를 x개라고 하면 9점의 과녁을
맞춘 화살은 $(12-x)$개이므로

$7x+9(12-x)=100$

$7x+108-9x=100$

$-2x=-8$ $\therefore x=4$

따라서, 7점의 과녁을 맞춘 화살은 4개이다.

04 준영이의 나이를 x살이라고 하면 아버지의 나이는 $4x$살이므로

$2(x+24)=4x+24$

$2x+48=4x+24$

$-2x=-24$ $\therefore x=12$

따라서, 준영이의 나이는 12살이다.

05 5명씩 세운 줄의 수를 x줄이라고 하면

$5x+1=8(x-4)+3$

$5x+1=8x-32+3$

$-3x=-30$

$\therefore x=10$

5명씩 줄을 세우면 $5\times10+1=51$(명)

8명씩 줄을 세우면 $8\times(10-4)+3=51$(명)

따라서, 학생 수는 51명이다.

06 받은 용돈을 x원이라고 하면

$\dfrac{3}{5}(1500+x)=4800$

$1500+x=4800\times\dfrac{5}{3}$

$1500+x=8000$

$\therefore x=6500$

따라서, 받은 용돈은 6500원이다.

07 우유의 개수를 x개라고 하면 빵의 개수는 $(10-x)$개이므로

$700x+1000(10-x)=8800$

$700x+10000-1000x=8800$

$-300x=-1200$

$\therefore x=4$

따라서, 우유의 개수가 4개이므로 빵의 개수는 6개이다.

08 원가를 x원이라고 하면

$x+\dfrac{20}{100}x-500=x+\dfrac{10}{100}x$

$100x+20x-50000=100x+10x$

$120x-50000=110x$

$10x=50000$

$\therefore x=5000$

따라서, 물건의 원가는 5000원이다.

09 세로의 길이를 x cm라고 하면 가로의 길이는 $(x+7)$ cm이므로

$2x+2(x+7)=70$

$2x+2x+14=70$

$4x+14=70$, $4x=56$

$\therefore x=14$

따라서, 세로의 길이는 14 cm, 가로의 길이는 21 cm이므로 직
사각형의 넓이는 294 cm^{2}이다.

10 (처음 사다리꼴의 넓이)

$=\dfrac{1}{2}\times(4+6)\times5=25(\text{cm}^2)$

아랫변의 길이를 x cm만큼 늘인 사다리꼴의 넓이는

$\dfrac{1}{2}\times(4+6+x)\times5=40$

$\dfrac{5}{2}(10+x)=40$

$10+x=40\times\dfrac{2}{5}$

$10+x=16$ $\therefore x=6$

11 가은이가 움직인 거리를 x km라고 하면

$\dfrac{x}{4}=\dfrac{x}{12}+\dfrac{1}{2}$, $3x=x+6$, $2x=6$

$\therefore x=3$

따라서, 가은이가 움직인 거리는 3 km이다.

12 시속 6 km로 달린 거리를 x km라고 할 때, 1시간 20분만에 완주하였으므로

$\dfrac{10-x}{10}+\dfrac{x}{6}=1+\dfrac{20}{60}$

$6(10-x)+10x=60+20$, $60-6x+10x=80$

$4x=20$

$\therefore x=5$

따라서, 시속 6 km로 달린 거리는 5 km이다.

13 신호등에서 멈춘 시간을 x분이라고 하면

$30\times(40-x)=1140$, $1200-30x=1140$

$\therefore x=2$

따라서, 신호등에서 멈춘 시간은 2분이다.

14 한 사람이 하루에 할 수 있는 일의 양을 a라고 하면

$a\times2\times3=5$이므로 $a=\dfrac{5}{6}$

한 사람이 하루에 $\dfrac{5}{6}$개의 봉제 인형을 만들 수 있으므로 일곱 사람이 70개를 만드는 데 x일이 걸린다고 하면

$\dfrac{5}{6}\times7\times x=70$ $\therefore x=12$

따라서, 12일이 걸린다.

15 전체 일의 양을 1이라고 하면 갑과 을이 하루에 하는 일의 양은 각각 $\dfrac{1}{8}$, $\dfrac{1}{12}$이다.

을이 일한 날 수를 x일이라고 하면

$\dfrac{1}{8}\times4+\dfrac{1}{12}\times x=1$

$3\times4+2\times x=24$

$2x=12$ $\therefore x=6$

따라서, 을이 일한 날 수는 6일이다.

16 지난해의 회원 수를 x명이라고 하면

$x+\dfrac{2}{100}x=357$

$100x+2x=35700$

$102x=35700$

$\therefore x=350$

따라서, 지난해 회원 수는 350명이다.

17 작년의 여학생 수를 x명이라고 하면 남학생 수는 $(850-x)$명이다.

남학생은 $\dfrac{10}{100}(850-x)$명 증가하고 여학생은 $\dfrac{15}{100}x$명 감소했으므로

$\dfrac{10}{100}(850-x)-\dfrac{15}{100}x=-15$

$10(850-x)-15x=-1500$, $25x=10000$

$\therefore x=400$

작년의 여학생 수는 400명이므로 올해의 여학생 수는

$\left(1-\dfrac{15}{100}\right)\times400$(명)이다.

$\dfrac{85}{100}\times400=340$(명)

따라서, 올해의 여학생 수는 340명이다.

본문 102~105

단원종합문제

01 ⑤	02 ③	03 ④	04 $\dfrac{a}{35}$ 점
05 $a, -a^2, -a^3, (-a)^2$		06 ⑤	07 $\dfrac{5}{2}$
08 13	09 ③	10 ③	11 $-\dfrac{1}{2}$ 12 ③
13 ③	14 ②	15 ⑤	16 ④ 17 ②
18 ⑤	19 ②	20 ④	21 ① 22 ③
23 3	24 -20	25 ③	26 26 27 ④
28 5 cm	29 ④		

01 ① $0.1 \times a = 0.1a$

② $(x-y) \times \dfrac{1}{2} = \dfrac{x-y}{2}$

③ $a \times b \div 2 = ab \times \dfrac{1}{2} = \dfrac{ab}{2}$

④ $x + y \div z = x + y \times \dfrac{1}{z} = x + \dfrac{y}{z} = \dfrac{xz+y}{z}$

⑤ $a \div b \times c = a \times \dfrac{1}{b} \times c = \dfrac{a}{b} \times c = \dfrac{ac}{b}$

02 $a \div b \times c \div (x \div y) = a \times \dfrac{1}{b} \times c \div \left(x \times \dfrac{1}{y}\right)$

$\qquad = \dfrac{ac}{b} \div \dfrac{x}{y} = \dfrac{ac}{b} \times \dfrac{y}{x} = \dfrac{acy}{bx}$

03 $1000 \times x + 5000 \times y = 1000x + 5000y$

04 (평균)$= \dfrac{(\text{총점})}{(\text{학생 수})} = \dfrac{a}{35}$ (점)

05 $a = -\dfrac{1}{2}$, $-a^2 = -\left(-\dfrac{1}{2}\right)^2 = -\dfrac{1}{4}$

$(-a)^2 = \left\{-\left(-\dfrac{1}{2}\right)\right\}^2 = \left(+\dfrac{1}{2}\right)^2 = \dfrac{1}{4}$

$a^3 = \left(-\dfrac{1}{2}\right)^3 = -\dfrac{1}{8}$

따라서, 작은 것부터 나열하면

$a, -a^2, -a^3, (-a)^2$

06 $\dfrac{3}{x} + \dfrac{2}{y}$ 에 $x = \dfrac{1}{3}$, $y = -\dfrac{1}{2}$ 을 대입하면

$3 \div \dfrac{1}{3} + 2 \div \left(-\dfrac{1}{2}\right) = 3 \times 3 + 2 \times (-2)$

$\qquad = 9 + (-4) = 5$

07 먼저 식을 정리 하면

$3(2x-1) + 4(-x+1) = 6x - 3 - 4x + 4 = 2x + 1$

$2x + 1$ 에 $x = \dfrac{3}{4}$ 을 대입하면

$2 \times \dfrac{3}{4} + 1 = \dfrac{3}{2} + 1 = \dfrac{5}{2}$

[다른풀이]

$3(2x-1) + 4(-x+1)$ 에 $x = \dfrac{3}{4}$ 을 대입하면

$3\left(2 \times \dfrac{3}{4} - 1\right) + 4\left(-\dfrac{3}{4} + 1\right)$

$= 3\left(\dfrac{3}{2} - 1\right) + 4\left(-\dfrac{3}{4} + 1\right)$

$= 3 \times \dfrac{1}{2} + 4 \times \dfrac{1}{4}$

$= \dfrac{3}{2} + 1 = \dfrac{5}{2}$

08 $2(3x+2) - 5(2x-3) + 5x - 7$

$= 6x + 4 - 10x + 15 + 5x - 7$

$= (6 - 10 + 5)x + 4 + 15 - 7$

$= x + 12$

x의 계수는 1이고 상수항은 12이다.

따라서, 두 값의 합은 13

09 ㄱ, ㄹ. 차수가 2이므로 일차식이 아니다.

ㄷ. 분모에 x가 있으므로 일차식이 아니다.

10 ③ 상수항은 -5이다.

11 $\dfrac{2a-4}{3} + \dfrac{2a+5}{6} = \dfrac{2a}{3} - \dfrac{4}{3} + \dfrac{2a}{6} + \dfrac{5}{6}$

$\qquad = \left(\dfrac{2}{3} + \dfrac{1}{3}\right)a - \dfrac{4}{3} + \dfrac{5}{6}$

$\qquad = a - \dfrac{3}{6} = a - \dfrac{1}{2}$

따라서, 상수항은 $-\dfrac{1}{2}$ 이다.

13 $\dfrac{3}{2}(2x-4) + \dfrac{2}{3}(3x+5) = 3x - 6 + 2x + \dfrac{10}{3}$

$\qquad = (3+2)x - 6 + \dfrac{10}{3}$

$\qquad = 5x + \dfrac{-18+10}{3}$

$\qquad = 5x - \dfrac{8}{3}$

따라서, x의 계수는 5이고 상수항은 $-\dfrac{8}{3}$ 이므로 두 값의 합은

$5 + \left(-\dfrac{8}{3}\right) = \dfrac{7}{3}$

14 ㄱ. $2x - 1 = x$, $x - 1 = 0$ (일차방정식)

ㄹ. $x^2 + 5x - 2 = x^2$ 에서 $5x - 2 = 0$ (일차방정식)

15 ⑤ (좌변) $= 2x + 3(x-4)$

$\qquad = 2x + 3x - 12 = 5x - 12 = $ (우변)

따라서, 항등식은 ⑤이다.

16 $2(x-3)=-6+ax$
$2x-6=-6+ax$
좌변과 우변이 같아야 하므로 $a=2$

17 ② $c\neq0$일 때에만 $\dfrac{a}{c}=\dfrac{b}{c}$이다.

18 ⑤ $a=3b$의 양변에 $\dfrac{1}{3}$을 곱하면 $\dfrac{a}{3}=b$

양변에 1을 더하면 $\dfrac{a}{3}+1=b+1$

19 $3(x+1)=x-2$, $3x+3=x-2$, $2x=-5$
$a=2$, $b=5$이므로 $a+b=2+5=7$

20 $2(x+1)=-x+5$에서
$2x+2=-x+5$, $3x=3$, $x=1$
① $2x-5=7$에서 $2x=12$ $\therefore x=6$
② $\dfrac{1}{2}x+3=5$에서 $\dfrac{1}{2}x=2$ $\therefore x=4$
③ $-x+3=2x-1$에서 $-3x=-4$ $\therefore x=\dfrac{4}{3}$
④ $x+7=2(x+3)$에서 $x+7=2x+6$
$-x=-1$ $\therefore x=1$
⑤ $0.5x-0.2=1.3$에서 $5x-2=13$, $5x=15$
$\therefore x=3$

21 $0.3x+0.7=0.4x-1.5$의 양변에 10을 곱하면
$3x+7=4x-15$, $-x=-22$, $x=22$
$\therefore a=22$
$\dfrac{3x+2}{2}-\dfrac{5x+4}{3}=2$의 양변에 6을 곱하면
$(9x+6)-(10x+8)=12$, $9x+6-10x-8=12$
$-x-2=12$, $-x=14$, $x=-14$
$\therefore b=-14$
$\therefore a-b=22-(-14)=22+14=36$

22 $(3x-1):1=(3x+1):3$에서
$3(3x-1)=3x+1$, $9x-3=3x+1$, $6x=4$
$\therefore x=\dfrac{2}{3}$

23 $2(x-5)=3x+2$에서 $2x-10=3x+2$
$\therefore x=-12$
$2x+15=\dfrac{1}{2}x-a$에 $x=-12$를 대입하면
$2\times(-12)+15=\dfrac{1}{2}\times(-12)-a$
$-24+15=-6-a$, $-9=-6-a$
$\therefore a=-6+9=3$

24 $\dfrac{5}{2}x+3=2x-\dfrac{3}{2}$, $5x+6=4x-3$, $x=-9$
$\therefore a=-9$

$0.5(x+1)+0.4=0.2(2x-1)$
$5(x+1)+4=2(2x-1)$, $5x+5+4=4x-2$
$5x+9=4x-2$, $x=-11$
$\therefore b=-11$
$\therefore a+b=(-9)+(-11)=-20$

25 일의 자리의 숫자를 x라 하면 처음의 자연수는 $30+x$이다.
$10x+3=2(30+x)+7$
$10x+3=60+2x+7$
$8x=64$ $\therefore x=8$
따라서, 처음의 자연수는 38이다.

26 연속하는 세 짝수를 x, $x+2$, $x+4$라고 하면
$x+(x+2)+(x+4)=84$, $3x+6=84$, $3x=78$
$\therefore x=26$
따라서, 연속하는 세 짝수는 26, 28, 30이므로 이 중에서 가장 작은 수는 26이다.

27 올라갈 때 걸은 거리를 x km라 하면
$\dfrac{x}{2}+\dfrac{x}{3}=5$, $3x+2x=30$, $5x=30$
$\therefore x=6$(km)

28 세로의 길이를 x cm라고 하면 가로의 길이는 $(x-4)$ cm이므로
$2x+2(x-4)=28$, $2x+2x-8=28$
$4x-8=28$, $4x=36$
$\therefore x=9$(cm)
따라서, 세로의 길이가 9 cm이므로 가로의 길이는 5 cm이다.

29 물건의 원가를 x원이라고 하면
(정가)$=x+\dfrac{20}{100}x=x+0.2x=1.2x$
(판매액)$=1.2x-600$
(이익금)$=\dfrac{5}{100}x=0.05x$
따라서, (판매액)$-$(원가)$=$(이익금)이므로
$(1.2x-600)-x=0.05x$, $0.2x-600=0.05x$
$20x-60000=5x$, $15x=60000$
$\therefore x=4000$(원)

Ⅳ. 좌표평면과 그래프

12 순서쌍과 좌표
본문 pp. 106~113

기본 체크

01 A(4, 1), B(2, 3), C(−5, 3), D(−2, 1),
E(−3, −4), F(2, −3)

02 (1) 제2사분면 (2) 제4사분면
(3) 어느 사분면에도 속하지 않는다. (4) 제3사분면

대표 예제

01 점 A($2a−4$, $a+1$)은 x축 위의 점이므로
$a+1=0$, $a=\boxed{-1}$ ∴ A($\boxed{-6}$, $\boxed{0}$)
점 B($−3b+6$, $2b$)는 y축 위의 점이므로
$−3b+6=0$, $b=\boxed{2}$ ∴ B($\boxed{0}$, $\boxed{4}$)
따라서, 삼각형 AOB의 넓이는 $\frac{1}{2}\times\boxed{6}\times4=\boxed{12}$

02 제4사분면 위의 점은 x의 값의 부호는 $\boxed{+}$이고, y의 값의 부호는
$\boxed{-}$이다.
따라서, 제4사분면 위에 있는 점은 $\boxed{\text{ㄷ, ㄹ}}$로 $\boxed{2}$개이다.

03 점 P(xy, $x−y$)가 제2사분면 위의 점이므로
$xy\boxed{<}0$, $x−y>0$
x, y는 서로 다른 부호를 갖고 $x−y>0$에서 $x>y$이므로
$x\boxed{>}0$, $y<0$이다.
따라서, $−y>0$, $x\boxed{>}0$이므로 점 Q($−y$, x)는 제$\boxed{1}$사분면
위의 점이다.

04 점 A($3a−1$, $−2b+4$)와 점 B($−a$, $b−2$)가 원점에 대하
여 서로 대칭이므로 x, y의 값의 부호가 서로 반대이다.
$3a−1=a$에서 $2a=\boxed{1}$ ∴ $a=\boxed{\frac{1}{2}}$
$−2b+4=−(b−2)$에서 $−2b+4=\boxed{−b+2}$
$−b=\boxed{−2}$ ∴ $b=\boxed{2}$
∴ $a+b=\boxed{\frac{5}{2}}$

어떤 교과서에나 나오는 문제  출제율 100% 기본기 쌓기

01 (1) P(−3), Q(2) (2) 풀이 참조 **02** ④ **03** 7
04 ③ **05** ② **06** (1) 제4사분면 (2) 제2사분면
(3) 제3사분면 (4) 제1사분면 **07** ① **08** ④
09 ④

01
P R(−5/2) ··· S(1/2) Q T(3)
−3 −2 −1 0 1 2 3

02 ④ 점 (0, −1)은 y축 위에 있다.

03 세 점 A, B, C를 좌표평면 위에 나타내면 다음과 같다.

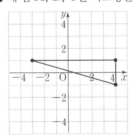

따라서, 삼각형 ABC의 넓이는
$\frac{1}{2}\times7\times2=7$

05 ① A(−2, −5) : 제3사분면
③ C(0, 2) : y축 위
④ D(3, 3) : 제1사분면
⑤ E(−5, 0) : x축 위

06 점 P(a, b)가 제1사분면 위의 점이므로 $a>0$, $b>0$이다.
(1) A(a, $−b$)의 부호는 (+, −)이므로 제4사분면
(2) B($−a$, b)의 부호는 (−, +)이므로 제2사분면
(3) C($−a$, $−b$)의 부호는 (−, −)이므로 제3사분면
(4) D(b, a)의 부호는 (+, +)이므로 제1사분면

07 $ab>0$이므로 $a>0$, $b>0$ 또는 $a<0$, $b<0$
이때, $a+b<0$이므로 $a<0$, $b<0$
따라서, 점 ($−a$, $−b$)는 제1사분면 위의 점이다.

08 점 P(ab, $a+b$)가 제1사분면 위의 점이므로
$ab>0$, $a+b>0$이다.
$ab>0$이므로 a와 b는 서로 같은 부호이고
$a+b>0$이므로 $a>0$, $b>0$이어야 한다.
$a>0$, $−b<0$이므로 Q(a, $−b$)는 제4사분면 위에 있다.

09 점 $P(2, 5)$와 x축에 대하여 대칭인 점은
$Q(2, -5)$
점 $P(2, 5)$와 y축에 대하여 대칭인 점은
$R(-2, 5)$
점 $P(2, 5)$와 원점에 대하여 대칭인 점은
$S(-2, -5)$
따라서, 네 점 P, Q, R, S를 꼭짓점으로
하는 사각형을 좌표평면 위에 나타내면 오른쪽과 같다.
∴ (사각형 PQSR의 넓이)$=4\times 10=40$

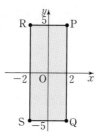

01 $(x-5, 6)=(7, 10-y)$이므로
$x-5=7, 6=10-y$
∴ $x=12, y=4$
∴ $2x-y=2\times 12-4=20$

02
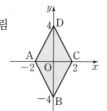

03 점 $P(2a-1, a+3)$이 x축 위의 점이므로
$a+3=0$
∴ $a=-3$
점 $Q(-2b+4, 3b+1)$이 y축 위의 점이므로
$-2b+4=0$
∴ $b=2$
∴ $a+b=(-3)+2=-1$

04 점 B는 x축 위에 있으므로 점 B의 좌표는
B$(5, 0)$

05 ② 점 $B\left(\dfrac{4}{3}, -5\right)$는 제4사분면 위의 점이다.

06 좌표평면 위에 A$(-2, 0)$, B$(0, -4)$,
C$(2, 0)$, D$(0, 4)$를 나타내면 오른쪽 그림
과 같고 이 사각형 ABCD는 마름모이다.
따라서, 사각형 ABCD의 넓이는
$\dfrac{1}{2}\times 8\times 4=16$

07 ① 제1사분면
③ y축 위
④ 제3사분면
⑤ 제2사분면

08 점 $P(x, y)$가 제2사분면 위의 점이므로
$x<0, y>0$
따라서, $xy<0$이 항상 성립한다.

09 $a>0, b<0$일 때, $a-b>0, ab<0$
따라서, 점 $(a-b, ab)$는 제4사분면 위의 점이다.

10 점 $P(a, b)$가 제3사분면 위의 점이므로
$a<0, b<0$
(1) $-a>0, -b>0$이므로 점 $Q(-a, -b)$는
제1사분면 위의 점이다.
(2) $a<0, -b>0$이므로 점 $R(a, -b)$는
제2사분면 위의 점이다.

11 점 A는 제2사분면 위의 점이므로 $a<0, b>0$
점 B는 제4사분면 위의 점이므로 $c>0, d<0$
따라서, $ac<0, b-d>0$이므로
점 $C(ac, b-d)$는 제2사분면 위의 점이다.
따라서, 제2사분면 위에 있는 점은 $(-5, 2)$

12 점 A$(1, -3)$의 원점에 대하여 대칭인 점은 $P(a, b)=(-1, 3)$
∴ $a=-1, b=3$
점 $Q(-b, a)=(-3, -1)$이므로 점 Q는 제3사분면 위에 있다.

13 Q$(5, 1)$, R$(-5, -1)$이므로
$ac-bd=5\times(-5)-1\times(-1)=-24$

14 두 점 A$(5, a)$, B$(b, -3)$이 x축에 대하여 대칭이면 x좌표의
값은 서로 같으므로 $b=5$
y좌표의 값은 부호만 반대인 수이므로 $a=3$
∴ $a+b=3+5=8$

15 점 $P(2, 6)$과 y축에 대하여 대칭인
점은 A$(-2, 6)$
세 점 A$(-2, 6)$, B$(3, 0)$,
C$(0, 6)$을 좌표평면 위에 나타내면
오른쪽 그림과 같다.
따라서, 삼각형 ABC의 넓이는
$\dfrac{1}{2}\times 2\times 6=6$

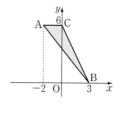

16 점 A, B, C, D를 좌표평면 위에 나
타내면 오른쪽 그림과 같다.
따라서, 사각형 ABCD의 넓이는
$2a\times 2b=28$이므로
$4ab=28$
∴ $ab=7$

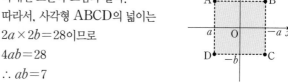

17 두 점 A$(-3a+5, 6)$과 B$(a-b, 2b-4)$가 x축에 대하여

대칭이므로 x의 값은 같고, y의 값은 부호가 반대가 된다.

즉, $2b-4=-6$, $2b=-2$

$\therefore b=-1$

$-3a+5=a-b$에서

$-4a=-b-5$, $-4a=-(-1)-5$

$\therefore a=1$

따라서, 점 $\mathrm{C}(-4a-1,\ b)=\mathrm{C}(-5,\ -1)$이고, y축에 대하여 대칭인 점은 $(5,\ -1)$이므로 이 점은 제4사분면 위의 점이다.

13 그래프
본문 pp. 114~121

기본 체크

01 1000 cm

02 12시간 30분

대표 예제

01 (1) 표를 완성하면 다음과 같다.

x(시간)	0	1	2	3	4	5
y(cm)	10	8	6	4	2	0

(2) 표에서 순서쌍 (x, y)를 구하면 $(0, 10)$, $(1, 8)$, $\boxed{(2, 6)}$, $\boxed{(3, 4)}$, $\boxed{(4, 2)}$, $\boxed{(5, 0)}$이고, 이 순서쌍을 좌표로 하는 점을 좌표평면에 나타내고 그 점들을 선으로 연결하면 오른쪽 그림과 같다.

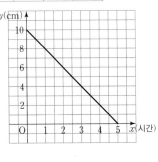

02 (1) 그릇이 원기둥 모양이므로 단면이 일정하여 일정한 속력으로 물을 채울 때 물의 높이도 $\boxed{\text{일정하게}}$ 높아진다.

(2) 그릇의 단면이 위로 올라갈수록 좁아지므로 물의 높이는 $\boxed{\text{빠르게}}$ 높아진다.

(3) 그릇의 단면이 위로 올라갈수록 넓어지므로 물의 높이는 $\boxed{\text{천천히}}$ 높아진다.

03 (1) 그래프에서 $x=10$일 때 y의 값은 $\boxed{15}$이므로 출발 후 10초 동안 이동한 거리는 $\boxed{15}$ m이다.

(2) 그래프에서 $y=10$일 때 x의 값은 $\boxed{5}$이므로 출발 후 10 m를 이동하는 데 걸린 시간은 $\boxed{5}$ 초이다.

(3) 그래프로부터 출발 후 $\boxed{15}$ 초 동안 이동하고 그 후 $\boxed{5}$ 초 동안은 멈춰 있었음을 알 수 있다.

어떤 교과서에나 나오는 문제   출제율 100% 기본기 쌓기

01 풀이 참조   02 100분   03 50분   04 ㄱ, ㄷ

05 6 m, 오전 6시와 오후 6시   06 4 m, 정오, 자정

07 4번   08 오후 3시부터 오후 9시까지

---

01 (1) 용기는 바닥에서 위로 올라갈수록 폭이 일정하다가 넓어지는 모양이다. 따라서 일정한 양의 물을 넣을 때, 수면의 높이는 처음에는 일정하게 높아지다가 점점 천천히 올라간다.

(2) 용기는 바닥에서 위로 올라갈수록 폭이 넓어지다가 다시 작아지는 모양이다. 따라서 일정한 양의 물을 넣을 때, 수면의 높이는 처음에는 천천히 올라가다가 점점 느려진 후 다시 빨리 올라간다.

02 공원에 다녀오는 데 걸린 시간은 그래프에서 거리가 다시 0이 되는 지점까지의 시간이므로 100분임을 알 수 있다.

03 공원에 머무른 시간 동안은 거리의 변화가 없다. 그래프에서 30분에서 80분까지 거리의 변화가 없으므로 공원에 머무른 시간은 50분임을 알 수 있다.

04 ㄱ. 오토바이의 최대 속력은 시속 50 km이다. (참)

ㄴ. 출발 이후 20초일 때, 시속 50 km로 달리는 중이었다. (거짓)

ㄷ. 출발 이후 30초부터 그래프가 아래로 내려가므로 오토바이의 속력은 계속 감소하였다. (참)

따라서 옳은 설명은 ㄱ, ㄷ이다.

05 하루 동안 해수면은 4 m에서 6 m까지 주기적으로 변화함을 알 수 있다. 따라서 해수면의 높이가 가장 높을 때의 해수면의 높이는 6 m이고, 그 시간은 오전 6시와 오후 6시이다.

06 해수면의 높이가 가장 낮을 때의 해수면의 높이는 4 m이고, 그 시간은 정오, 자정이다.

07 하루에 해수면의 높이가 5 m인 순간은 오전 3시, 오전 9시, 오후 3시, 오후 9시로 모두 4번 일어난다.

08 정오 이후에 해수면의 높이가 5 m 이상인 시각은 오후 3시부터 오후 9시까지이다.

시험에 꼭 나오는 문제   기출 베스트 컬렉션

01 풀이 참조	02 30 m	03 2바퀴
04 12분 후, 180 L	05 22분 후	06 8분
07 풀이 참조	08 16 ℃	09 6시부터 14시까지
10 15초 후	11 풀이 참조	12 ㄱ, ㄴ 13 ⑤
14 민서, 3분		

01 (1) 처음에는 물의 높이가 빠르게 높아지다가 어느 순간부터는 일정하게 높아진다.

(2) 아랫부분에서 천천히 일정하게 증가하다가 윗부분에서는 더 빨리 일정하게 증가하므로 그래프는 오른쪽 그림과 같다.

02 그래프가 점 (50, 30)을 지나므로 운행을 시작한 지 50분 후 A칸의 높이는 30 m임을 알 수 있다.

03 운행을 시작한 후 A칸의 높이가 처음과 같아졌을 때 대관람차를 한 바퀴 회전한 것이므로 그래프를 통해 20분마다 대관람차가 한 바퀴씩 회전함을 알 수 있다. 따라서 40분 동안 대관람차는 2바퀴 회전하였다.

04 수도꼭지를 잠근 시간은 물의 양이 변하다가 변하지 않는 12분일 때이고, 그때의 물탱크에 담긴 물의 양은 180 L이다.

05 물탱크 마개를 뽑은 후에는 물이 배수되므로 물의 양이 줄어든다. 따라서 물탱크 마개를 뽑은 시간은 물의 양이 줄어들기 시작하는 22분 후이다.

06 그래프에서 물이 빠지는 시간은 22분에서 30분 사이이다. 따라서 물이 모두 빠지는데 걸린 시간은 8분이다.

07 물의 양이 많을수록 물의 압력이 높고, 물의 압력이 높을수록 배수되는 물의 양은 더 많다. 즉, 물이 빠져 나갈수록 물의 압력이 낮아지기 때문에 물이 빠져 나가는 양은 점점 줄어든다. 따라서 그래프가 점점 완만해진다.

08 기온이 가장 높은 때의 온도가 19 ℃ 이고, 가장 낮을 때의 온도가 3 ℃ 이므로 $19-3=16(℃)$

09 6시부터 그래프가 올라가서 14시에 내려가므로 기온이 높아지는 시간은 6시부터 14시까지이다.

10 두 그래프는 (25, 100)에서 만나므로 형과 동생이 만나는 시간은 25초일 때이고, 동생이 출발한 지 25초 이후에 형이 동생을 추월한다. 이때 형은 동생이 출발한 지 10초 후에 출발하므로 형이 동생을 추월하는 것은 형이 출발한 지 $25-10=15$(초) 후이다.

11 (예시)
준희는 산책을 나가서 산책길 중간에 있는 세탁소에 들러 세탁물을 맡기고 집에서 1 km 떨어진 공원까지 갔다가 집으로 돌아오는 중에 서점에 들러 책을 사고 집으로 돌아 왔다.

12 ㄱ. 오후 4시 10분까지 속력이 시속 60 km까지 증가한다. 이후 속력이 더 이상 증가하지는 않으므로 최대 속력은 시속 60 km이다. (참)
　　ㄴ. 오후 4시 10분부터 오후 4시 30분까지 자동차의 속력은 시속 60 km로 일정하다. (참)
　　ㄷ. 오후 4시 50분 이후 자동차는 시속 40 km로 일정하게 달렸다. (거짓)
　　따라서 옳은 것은 ㄱ, ㄴ이다.

13 ⑤ 가장 멀리 갔을 때의 거리가 2 km이고 돌아오는 거리도 2 km이므로 산책하는 데 움직인 총 거리는 4 km이다.

14 그래프에서 민서는 10분 만에 1800 m를 이동했으므로 1분에 180 m를 이동함을 알 수 있다.
즉, 일정한 속력으로 갔을 때, 민서는 3.6 km(＝3600 m)를 가는 데에는 $\frac{3600}{180}=20$(분)이 걸렸다.
준희는 10분 만에 2000 m를 이동했으므로 1분에 200 m를 이동함을 알 수 있다.
즉, 남은 거리 1600 m를 가는 데에는 $\frac{1600}{200}=8$(분)이 걸렸으므로 총 23분이 걸렸다.
따라서 민서가 준희보다 3분 더 빠르게 박물관에 도착했음을 알 수 있다.

14 정비례 관계

본문 pp. 122~129

기본 체크

01 ② **02**

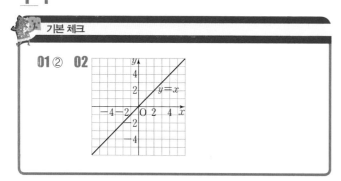

대표 예제

01 (1) (움직인 거리)=(자동길의 속력)×(시간)이므로
$y=0.6x$ 이다.

(2) $y=0.6x$에 $y=30$을 대입하면 $0.6x=30$이므로
$x=50$
따라서 50 초가 걸린다.

02 정비례 관계 $y=3x$의 그래프는
제 1 사분면과 제 3 사분면을 지나는 직선이다.
이때, x의 값이 $x>0$이므로
제 1 사분면만 지나는 직선이다.

03 점 $(-2, 3)$을 지나는 직선이므로
$x=-2$, $y=3$을 대입하면
$3=-2a$ $\therefore a=-\dfrac{3}{2}$

04 (거리)=(속력)×(시간)이므로
$y=70x$ $(x \geq 0)$
$y=70x$에 $y=420$을 대입하면
$420=70x$
$\therefore x=6$ (시간)
따라서, 시속 70 km로 420 km를 가는데 6 시간이 걸린다.

출제율 100% 기본기 쌓기

01 ②, ④   02 ①   03 풀이 참조   04 ⑤
05 ④   06 $k=\dfrac{3}{4}$ 07 ②   08 17700원

01 x의 값이 2배, 3배, 4배, …로 변함에 따라 y의 값도 2배, 3배,
4배, …로 변하는 것은 $y=ax$ 꼴이다.
② $6x-y=0$에서 $y=6x$
④ $y=\dfrac{x}{10}=\dfrac{1}{10}x$

02 y가 x에 정비례하므로 $y=ax$에
$x=12$, $y=10$을 대입하면
$10=12a$ $\therefore a=\dfrac{5}{6}$
따라서 $y=\dfrac{5}{6}x$에 $x=-6$을 대입하면
$y=\dfrac{5}{6}\times(-6)=-5$

03

x	-2	-1	0	1	2
y	-4	-2	0	2	4

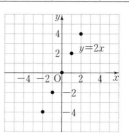

04 ⑤ a의 절댓값이 작을수록 x축에 가까워진다.

05 ④ $y=-3x$에 $x=2$를 대입하면
$y=-3\times 2=-6$

06 삼각형 AOB의 넓이는
$\dfrac{1}{2}\times\overline{\mathrm{OA}}\times\overline{\mathrm{OB}}=\dfrac{1}{2}\times 6\times 8=24$
삼각형 AOB의 넓이를 이등분하면 이등분한 삼각형의 넓이는
12이다.
($\triangle$AOP의 넓이)=($\triangle$BOP의 넓이)=12
점 P의 좌표를 (a, b)라 하면
($\triangle$AOP의 넓이)=$\dfrac{1}{2}\times 6\times a=12$ $\therefore a=4$
($\triangle$BOP의 넓이)=$\dfrac{1}{2}\times 8\times b=12$ $\therefore b=3$
$\therefore \mathrm{P}(a, b)=\mathrm{P}(4, 3)$
$y=kx$의 그래프가 점 $\mathrm{P}(4, 3)$을 지나므로
$x=4$, $y=3$을 대입하면
$3=4k$ $\therefore k=\dfrac{3}{4}$

07 (A톱니의 수)×(A의 회전수)

$=$(B톱니의 수)$\times$(B의 회전수)이므로

$24x=36y$ $\therefore y=\dfrac{2}{3}x$ $(x>0)$

08 고구마 100 g당 590원에 판매하므로 1 g당 5.9원이다.

따라서, $y=5.9x$에 $x=3000$을 대입하면

$y=5.9\times3000=17700$(원)

시험에 꼭 나오는 문제   기출 베스트 컬렉션

01 ⑤	02 ④	03 ⑤	04 ⑤	05 ⑤
06 ⑤	07 ④	08 -2	09 ⑤	10 ④
11 -4	12 $\dfrac{1}{2}$	13 ①	14 1100점	15 12 cm²
16 $\dfrac{5}{6}$시간				

01 ① (마름모의 넓이)$=\dfrac{1}{2}xy=50$

$\therefore y=\dfrac{100}{x}$

② 매분 2 L씩 x분 동안 넣은 물의 양은 $2x$ L이므로

$y=2x+50$

③ (소금물의 농도)$=\dfrac{\text{(소금의 양)}}{\text{(소금물의 양)}}\times100$이므로

$y=\dfrac{100}{200+x}$

④ (시간)$=\dfrac{\text{(거리)}}{\text{(속력)}}$이므로 $y=\dfrac{90}{x}$

⑤ 길이 1 m의 무게가 20 g이므로 x m의 무게는

$y=20x$

02 $y=ax$에 $x=6$, $y=9$를 대입하면

$9=6a$ $\therefore a=\dfrac{3}{2}$

따라서 구하는 관계식은 $y=\dfrac{3}{2}x$이다.

03 $y=ax$에 $x=6$, $y=-18$을 대입하면

$-18=6a$ $\therefore a=-3$

따라서 $y=-3x$에 $y=2$를 대입하면

$2=-3x$ $\therefore x=-\dfrac{2}{3}$

04 ㄴ. $y=-2x$에서 y는 x에 정비례하므로 x의 값이 2배가 되면

y의 값도 2배가 된다.

ㄷ. $y=-2x$에서 $x=3$일 때, $y=-2\times3=-6$

따라서 옳은 것은 ㄱ, ㄷ이다.

05 $y=ax$에서 $|a|$의 값이 클수록 y축에 가까워진다.

① $y=-x$에서 $a=-1$이므로 $|a|=|-1|=1$

② $y=-\dfrac{1}{2}x$에서 $a=-\dfrac{1}{2}$이므로 $|a|=\left|-\dfrac{1}{2}\right|=\dfrac{1}{2}$

③ $y=2x$에서 $a=2$이므로 $|a|=2$

④ $y=\dfrac{1}{3}x$에서 $a=\dfrac{1}{3}$이므로 $|a|=\dfrac{1}{3}$

⑤ $y=-3x$에서 $a=-3$이므로 $|a|=3$

06 ⑤ $y=-5x$는 x의 값이 증가하면 y의 값은 감소하는 그래프이다.

07 $y=\dfrac{2}{3}x$에 $x=a$, $y=-6$을 대입하면

$-6=\dfrac{2}{3}\times a$

$\therefore a=(-6)\times\dfrac{3}{2}=-9$

08 $y=5x$에 $x=a$, $y=2a-6$을 대입하면

$2a-6=5a$, $3a=-6$

$\therefore a=-2$

09 ⑤ $x=2$일 때, $y=\dfrac{1}{3}\times2=\dfrac{2}{3}$

$x=6$일 때, $y=\dfrac{1}{3}\times6=2$

10 $y=ax$에 $x=-2$, $y=1$을 대입하면

$1=a\times(-2)$

$\therefore a=-\dfrac{1}{2}$

④ $y=-\dfrac{1}{2}x$에 $x=5$를 대입하면 $y=-\dfrac{5}{2}$

11 $y=ax$에 $x=-2$, $y=4$를 대입하면

$4=a\times(-2)$ $\therefore a=-2$

따라서, $y=-2x$에 $x=2$, $y=b$를 대입하면

$b=-2\times2=-4$

12 사다리꼴 APQB의 넓이는 6이므로

$\dfrac{1}{2}\times(\overline{AP}+\overline{BQ})\times\overline{PQ}=6$

$y=ax$에 대하여

$x=1$일 때, $y=a$이므로 점 A의 좌표는 $(1, a)$

$x=5$일 때, $y=5a$이므로 점 B의 좌표는 $(5, 5a)$

$\overline{AP}=a$, $\overline{BQ}=5a$, $\overline{PQ}=5-1=4$이므로

$\dfrac{1}{2}\times(a+5a)\times4=6$, $12a=6$

$\therefore a=\dfrac{1}{2}$

13 x km를 시속 80 km로 달릴 때, 걸리는 시간은

$y=\dfrac{x}{80}$ $(x>0)$

(서울에서 대전까지의 거리)$=120\times2=240$(km)이므로

$y=\dfrac{x}{80}$에 $x=240$을 대입하면 $y=3$

따라서, 서울에서 대전까지 시속 80 km로 달리면 3시간이 걸린다.

14 y는 x의 5 %이므로 $y=x\times\dfrac{5}{100}$

$\therefore y=\dfrac{1}{20}x$ $(x\geq0)$

$y=\dfrac{1}{20}x$에 $x=22000$을 대입하면

$y=\dfrac{1}{20}\times22000=1100$(점)

15 삼각형 ABP에서 선분 AP를 밑변, 선분 AB를 높이로 하면

(삼각형의 넓이)$=\dfrac{1}{2}\times$ (밑변의 길이) $\times$ (높이)이므로

$y=\dfrac{1}{2}\times x\times 8=4x$

$\therefore y=4x\,(0<x\leq 10)$

따라서, $y=4x$에 $x=3$을 대입하면

$y=4\times 3=12(\mathrm{cm}^2)$

16 은영이가 y시간 달린 거리는 $2y\,\mathrm{km}$, 범준이가 y시간 달린 거리는 $4y\,\mathrm{km}$이므로

$2y+4y=x,\ 6y=x$

$\therefore y=\dfrac{x}{6}$

$y=\dfrac{x}{6}$에 $x=5$를 대입하면 $y=\dfrac{5}{6}$(시간)

따라서, 호수의 둘레가 $5\,\mathrm{km}$일 때, 은영이와 범준이는 출발한 지 $\dfrac{5}{6}$시간 후에 처음으로 만난다.

---

15 반비례 관계

본문 pp. 130~137

기본 체크

01 ②, ⑤

02

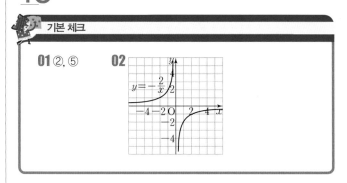

대표 예제

01 (1) (삼각형의 넓이)$=\dfrac{1}{2}\times$(밑변의 길이)$\times$(높이)이므로

$\boxed{\dfrac{1}{2}xy}=50$ 이다.

따라서 $y=\dfrac{\boxed{100}}{x}$ 이다.

(2) $y=\dfrac{\boxed{100}}{x}$에 $y=20$을 대입하면 $20=\dfrac{\boxed{100}}{x}$에서

$20x=\boxed{100}$이므로 $x=\boxed{5}$

따라서 밑변의 길이는 $\boxed{5}\,\mathrm{cm}$이다.

02 $y=\dfrac{a}{x}$의 그래프가 점 $(2,\,4)$를 지나므로

$x=2,\ y=\boxed{4}$를 대입하면

$\boxed{4}=\dfrac{a}{2},\ a=\boxed{8}$ 이므로

반비례 관계식은 $y=\dfrac{\boxed{8}}{x}$ 이다.

03 점 A가 $y=-\dfrac{3}{2}x$의 그래프 위의 점이므로

$y=-\dfrac{3}{2}x$에 $x=\boxed{-2}$를 대입하면

$y=-\dfrac{3}{2}\times(\boxed{-2})=\boxed{3}$

따라서, 점 A의 좌표는 $(-2,\,\boxed{3})$이다.

또, 점 A가 $y=\dfrac{a}{x}$의 그래프 위의 점이므로

$y=\dfrac{a}{x}$에 $(-2,\,\boxed{3})$을 대입하면 $3=\dfrac{a}{-2}$

$\therefore a=\boxed{-6}$

04 (1) $x=4$일 때 $y=12$이므로

$xy=48$ $\therefore y=\dfrac{\boxed{48}}{x}$

(2) 6명이 일을 하므로

$y=\dfrac{48}{x}$에 $x=6$을 대입하면

$y=\dfrac{48}{6}=8$(시간)

따라서, 6명이 함께 일해 끝내는 데 8시간이 걸린다.

---

01 x의 값이 2배, 3배, 4배, …가 될 때, y의 값은 $\dfrac{1}{2}$배, $\dfrac{1}{3}$배, $\dfrac{1}{4}$배, …로 변하는 것은 $y=\dfrac{a}{x}$ 꼴이다.

⑤ $xy=-\dfrac{1}{9}$에서 $y=-\dfrac{1}{9x}$

02 y가 x에 반비례하므로 $y=\dfrac{a}{x}$에

$x=3$, $y=-6$을 대입하면

$-6=\dfrac{a}{3}$ ∴ $a=-18$

따라서 $y=-\dfrac{18}{x}$에 $x=9$를 대입하면

$y=-\dfrac{18}{9}=-2$

03

x	-4	-2	-1	$-\dfrac{1}{2}$	$\dfrac{1}{2}$	1	2	4
y	$-\dfrac{1}{2}$	-1	-2	-4	4	2	1	$\dfrac{1}{2}$

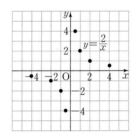

04 $y=\dfrac{a}{x}$의 그래프는 한 쌍의 곡선이고, $a<0$이므로 제2사분면과 제4사분면을 지난다.

05 $y=-\dfrac{6}{x}$에 $x=2$, $y=a$를 대입하면

$a=-\dfrac{6}{2}=-3$

$y=-\dfrac{6}{x}$에 $x=b$, $y=-\dfrac{1}{3}$을 대입하면

$-\dfrac{1}{3}=-\dfrac{6}{b}$ ∴ $b=18$

∴ $a+b=(-3)+18=15$

06 $y=ax$, $y=\dfrac{b}{x}$의 그래프는 두 점 $(3,-12)$, $(c,12)$를 지나므로 $y=ax$에 $(3,-12)$를 대입하면

$-12=a\times3$ ∴ $a=-4$

$y=\dfrac{b}{x}$에 $(3,-12)$를 대입하면

$-12=\dfrac{b}{3}$ ∴ $b=-36$

$y=-4x$에 $x=c$, $y=12$를 대입하면

$12=(-4)\times c$ ∴ $c=-3$

∴ $b+ac=-36+(-4)\times(-3)$

$=-36+12=-24$

07 사람의 수를 x명, 작업 일 수를 y일이라고 하면

5명이 10일 동안 작업하여 일을 완성하므로

$5\times10=x\times y$

∴ $y=\dfrac{50}{x}$ ($x>0$)

$y=\dfrac{50}{x}$에 $y=2$를 대입하면 $x=25$(명)

08 (거리)=(속력)×(시간)이므로

$240=xy$에서 $y=\dfrac{240}{x}$이다.

시속 80 km의 속력으로 달리면

$y=\dfrac{240}{80}=3$이므로 3시간 걸린다.

---

01 ① (소금의 양)=$\dfrac{(\text{소금물의 농도})}{(100)}\times(\text{소금물의 양})$

이므로 $y=\dfrac{10}{100}\times x=\dfrac{1}{10}x$

② (시간)=$\dfrac{(\text{거리})}{(\text{속력})}$이므로 $y=\dfrac{20}{x}$

③ (삼각형의 넓이)=$\dfrac{1}{2}\times(\text{밑변의 길이})\times(\text{높이})$

이므로 $y=\dfrac{1}{2}\times x\times6=3x$

④ $y=1000x$

⑤ $y=2(x+5)=2x+10$

02 $y=\dfrac{a}{x}$에 $x=3$, $y=5$를 대입하면

$5=\dfrac{a}{3}$ ∴ $a=15$

따라서 구하는 관계식은 $y=\dfrac{15}{x}$이다.

03 $y=\dfrac{a}{x}$에 $x=-6$, $y=2$를 대입하면

$2=\dfrac{a}{-6}$ ∴ $a=-12$

따라서 $y=-\dfrac{12}{x}$에 $y=3$을 대입하면

$$3 = -\frac{12}{x} \quad \therefore x = -4$$

04 $y = \frac{4}{x}$의 그래프는

① 원점을 지나지 않는다.

④ y의 값은 $y \neq 0$, $y = \frac{4}{x}$를 만족하는 수 전체이다.

05 $y = -\frac{6}{x}$의 그래프 위의 점 (x, y) 중 x, y가 모두 정수인 점은

$(-6, 1)$, $(-3, 2)$, $(-2, 3)$, $(-1, 6)$, $(1, -6)$,

$(2, -3)$, $(3, -2)$, $(6, -1)$로 8개이다.

06 $y = \frac{a}{x}$에 $x = 3$, $y = -2$를 대입하면

$$-2 = \frac{a}{3} \quad \therefore a = -6$$

07 $y = \frac{a}{x}$에 $x = 2$, $y = -8$을 대입하면

$$-8 = \frac{a}{2} \quad \therefore a = -16$$

$y = \frac{-16}{x}$에 $x = -4$, $y = b$를 대입하면

$$b = \frac{-16}{-4} = 4$$

$$\therefore a + b = (-16) + 4 = -12$$

08 $y = \frac{a}{x}$에 $x = 6$, $y = 2$를 대입하면

$$2 = \frac{a}{6} \quad \therefore a = 12$$

$y = \frac{12}{x}$에 $x = -3$을 대입하면

$$y = \frac{12}{-3} = -4$$

09 $y = ax$에 $x = -3$, $y = 9$를 대입하면

$$9 = a \times (-3) \quad \therefore a = -3$$

$y = -\frac{3}{x}$에 $x = 6$, $y = b$를 대입하면

$$b = -\frac{3}{6} = -\frac{1}{2}$$

$$\therefore a - 2b = -3 - 2 \times \left(-\frac{1}{2}\right) = -3 + 1 = -2$$

10 $y = \frac{a}{x}$에 $x = -6$, $y = 2$를 대입하면

$$2 = \frac{a}{-6} \quad \therefore a = -12$$

$y = -\frac{12}{x}$에 $x = 4$, $y = k$를 대입하면

$$k = -\frac{12}{4} = -3$$

11 $y = ax$, $y = -\frac{8}{x}$의 그래프가 점 P에서 만나고, 점 P의 y좌표

가 2이므로 $y = -\frac{8}{x}$에 $y = 2$를 대입하면

$$2 = -\frac{8}{x} \quad \therefore x = -4$$

$y = ax$에 $x = -4$, $y = 2$를 대입하면

$$2 = a \times (-4)$$

$$\therefore a = -\frac{1}{2}$$

12 $y = \frac{k}{x}$에 $x = -10$, $y = 2$를 대입하면

$$2 = \frac{k}{-10} \quad \therefore k = -20$$

$y = -\frac{20}{x}$에 $x = -4$, $y = b$를 대입하면

$$b = -\frac{20}{-4} = 5$$

$$\therefore P(a, b) = P(-4, 5)$$

따라서, 삼각형 AOP의 넓이는

$$\frac{1}{2} \times 4 \times 5 = 10$$

13 $xy = 50000$이므로 $y = \frac{50000}{x}$ $(x > 0)$

$y = \frac{50000}{x}$에 $x = 2500$을 대입하면

$$y = \frac{50000}{2500} = 20(일)$$

14 (A톱니의 수) $\times$ (A의 회전수)

　 $=$ (B톱니의 수) $\times$ (B의 회전수)이므로

$$450 = xy \quad \therefore y = \frac{450}{x} \ (x > 0)$$

$y = \frac{450}{x}$에 $x = 45$를 대입하면

$$y = \frac{450}{45} = 10(번)$$

따라서, 톱니바퀴 B는 1분 동안 10번 회전한다.

15 (하루 동안 생산해야 하는 제품의 양)

　 $=$ (기계의 수) $\times$ (가동 시간)이므로

하루에 생산해야 하는 제품의 양은 $60 \times 10 = 600$

하루에 생산하는데 필요한 기계의 수를 x, 가동 시간을 y라 하면

$$xy = 600 \quad \therefore y = \frac{600}{x} \ (x > 0)$$

75대의 기계로 생산하는데 걸리는 시간은

$y = \frac{600}{x}$에 $x = 75$를 대입하면 $y = \frac{600}{75} = 8(시간)$

16 $y = \frac{800}{x}$ $(x > 0)$이므로

$y=\dfrac{800}{x}$에 $x=25$를 대입하면 $y=\dfrac{800}{25}=32(\text{g})$

따라서, 25명이 나누어 먹으면 한 사람은 32 g의 케이크를 먹을 수 있다.

본문 138~141

단원종합문제

01 ①	02 ②	03 ⑤	04 ③	05 6
06 ③	07 −7	08 48	09 ④	10 ①, ④
11 ④	12 ①, ④	13 ④	14 $y=-\dfrac{16}{x}$	
15 ④	16 24	17 ⑤	18 ①	19 ④
20 $y=\dfrac{24}{x}\ (x>0)$		21 (1) $y=4x$ (2) 25분		22 2 cm
23 75 g	24 6명			

01 ① $20=\dfrac{x}{100}\times y$이므로 $xy=2000$ $\therefore y=\dfrac{2000}{x}$

② $y=\dfrac{1}{2}\times 6\times x=3x$

③ (거리) $=$ (속력) $\times$ (시간)이므로 $y=3x$

④ $y=4x$

⑤ $y=85x$

02 y가 x에 반비례하므로 $y=\dfrac{a}{x}$의 꼴이고

$x=-4$, $y=9$를 대입하면 $a=-36$

즉, $y=-\dfrac{36}{x}$에서 $x=6$일 때의 y의 값은

$y=-\dfrac{36}{6}=-6$

03 점 $P(3a+6,\ a-2)$는 x축 위의 점이므로

$a-2=0$ $\therefore a=2$

점 $Q(-b+4,\ 2b-1)$은 y축 위의 점이므로

$-b+4=0$ $\therefore b=4$

$\therefore a+b=2+4=6$

04 $(3,\ 5-x)=(y+4,\ 3)$일 때, $3=y+4$, $5-x=3$

$\therefore x=2$, $y=-1$

$\therefore 2x-y=2\times 2-(-1)=4+1=5$

05 세 점 $A(-3,\ 4)$, $B(1,\ 0)$, $C(0,\ 4)$를 좌표평면 위에 나타내면 오른쪽 그림과 같다.

따라서, 삼각형 ABC의 넓이는

$\dfrac{1}{2}\times 3\times 4=6$

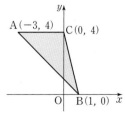

06 $a<0$, $b>0$일 때, $a-b<0$, $ab<0$이다.

따라서, $P(a-b,\ ab)$는 제3사분면 위의 점이다.

07 두 점 $A(a,\ 4)$, $B(-3,\ b)$가 x축에 대하여 대칭이면

---

x의 값은 서로 같으므로 $a=-3$

y의 값은 부호만 반대인 수이므로 $b=-4$

$\therefore a+b=(-3)+(-4)=-7$

08 점 $P(4,\ 3)$과 x축에 대하여 대칭인 점은 $S(4,\ -3)$

점 $P(4,\ 3)$과 y축에 대하여 대칭인 점은 $Q(-4,\ 3)$

점 $P(4,\ 3)$과 원점에 대하여 대칭인 점은 $R(-4,\ -3)$

따라서, 네 점 P, Q, R, S를 꼭짓점으로 하는 사각형을 좌표평면 위에 나타내면 다음과 같다.

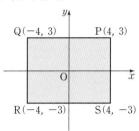

$\therefore$ (사각형의 넓이) $=8\times 6=48$

09 ④ $y=2x$에 $x=2$를 대입하면

$y=2\times 2=4$

10 ① 90분 동안 20 km를 이동하였다.

② 30분 동안 정지하였다.

③ 60분 동안 이동한 거리는 $50-20=30(\text{km})$

④ 30분 동안 정지하였다.

⑤ 30분 동안 이동한 거리는 $60-50=10(\text{km})$

11 ④ y의 값은 $y>0$, $y<0$이다.

12 $y=ax$, $y=\dfrac{a}{x}$에서 $a<0$이면 제2, 4사분면을 지난다.

13 $y=-\dfrac{3}{2}x$에 $x=4$를 대입하면 $y=-6$

$\triangle AOB=\dfrac{1}{2}\times 4\times 6=12$

$y=-ax$에 $x=4$를 대입하면 $y=-4a$

따라서, $\triangle AOD$의 넓이는 $\triangle AOB$의 넓이의 절반이므로

$\dfrac{1}{2}\times 4\times 4a=6$ $\therefore a=\dfrac{3}{4}$

14 원점에 대하여 대칭인 한 쌍의 곡선이므로 식은

$y=\dfrac{a}{x}\ (a\neq 0)$의 꼴이다.

점 $(4,\ -4)$를 지나므로 $y=\dfrac{a}{x}$에 $x=4$, $y=-4$를 대입하면

$-4=\dfrac{a}{4}$ $\therefore a=-16$

따라서, 구하는 식은 $y=-\dfrac{16}{x}$

15 $y=\dfrac{a}{x}$에 $(-2,\ -5)$를 대입하면 $a=10$이다.

$y=\dfrac{10}{x}$에 $x=5$를 대입하면 $y=2$이다.

16 점 P의 좌표는 $P\left(3, \dfrac{a}{3}\right)$, 점 Q의 좌표는 $Q\left(6, \dfrac{a}{6}\right)$이고,

y좌표의 차가 4이므로

$\dfrac{a}{3} - \dfrac{a}{6} = 4$에서

$2a - a = 24$

$\therefore a = 24$

17 $B(t, 0)$이라 하면 $A\left(t, \dfrac{a}{t}\right)$이므로

$\triangle OAB = \dfrac{1}{2} \times t \times \dfrac{a}{t} = \dfrac{a}{2} = 9$

$\therefore a = 18$

18 $y = ax$와 $y = \dfrac{b}{x}$에 각각 $(1, -4)$를 대입하면

$a = -4$, $b = -4$이다.

$(-1, c)$를 대입하면

$c = -4 \times (-1) = \dfrac{-4}{-1} = 4$

$\therefore a + b - c = -4 - 4 - 4 = -12$

19 (남아 있는 물의 양)$=600-$(퍼낸 물의 양)이므로

$y = 600 - 5x$

$\therefore y = -5x + 600$

20 일정한 시간 동안 맞물린 톱니의 수는 같으므로

$24 \times 1 = x \times y$

$\therefore y = \dfrac{24}{x}$ $(x > 0)$

21 ⑴ (수면의 높이)$=4 \times$(시간)이므로

$y = 4x$

⑵ 물이 가득 찰 때 수면의 높이는 $100\ \text{cm}$이므로

$y = 100$을 대입하면

$100 = 4x$에서 $x = 25$

따라서, 25분 걸린다.

22 (직육면체의 부피)

$=$(밑면의 가로의 길이)$\times$(밑면의 세로의 길이)$\times$(높이)이므로

$48 = x \times 6 \times y$ $\therefore y = \dfrac{8}{x}$ $(x > 0)$

$y = \dfrac{8}{x}$에 $x = 4$를 대입하면

$y = \dfrac{8}{4} = 2(\text{cm})$

따라서, 높이는 $2\ \text{cm}$이다.

23 $y = \dfrac{1200}{x}$이므로 $y = \dfrac{1200}{x}$에 $x = 16$을 대입하면

$y = \dfrac{1200}{16} = 75(\text{g})$

24 전체 일의 양은 같으므로 4명이 3일 동안 한 일을 x명이 y일 동안 한다고 하면

$4 \times 3 = xy$ $\therefore y = \dfrac{12}{x}$

$y = \dfrac{12}{x}$에 $y = 2$를 대입하면

$2 = \dfrac{12}{x}$에서 $x = 6$(명)

MEMO

MEMO

MEMO

MEMO

교과서
노트

중학 수학 **1** (상)

(continued)

	번호	O/X
문제	7	
	8	
시험에 꼭 나오는 문제	1	
	2	
	3	
	4	
	5	
	6	
	7	
	8	
	9	
	10	
	11	
	12	
	13	
	14	
	15	
	16	
	17	
	18	
	19	

09 일차방정식과 그 해

	번호	O/X
어떤 교과서에나 나오는 문제	1	
	2	
	3	
	4	
	5	
	6	
	7	
	8	
	9	
시험에 꼭 나오는 문제	1	
	2	
	3	
	4	
	5	
	6	
	7	
	8	
	9	
	10	
	11	
	12	
	13	
	14	
	15	
	16	
	17	
	18	
	19	

10 일차방정식의 풀이

	번호	O/X
어떤	1	
	2	
	3	

(continued)

	번호	O/X
교과서에나 나오는 문제	4	
	5	
	6	
	7	
	8	
	9	
	10	
시험에 꼭 나오는 문제	1	
	2	
	3	
	4	
	5	
	6	
	7	
	8	
	9	
	10	
	11	
	12	
	13	
	14	
	15	
	16	
	17	
	18	

11 일차방정식의 활용

	번호	O/X
어떤 교과서에나 나오는 문제	1	
	2	
	3	
	4	
	5	
	6	
	7	
	8	
시험에 꼭 나오는 문제	1	
	2	
	3	
	4	
	5	
	6	
	7	
	8	
	9	
	10	
	11	
	12	
	13	
	14	
	15	
	16	
	17	

12 순서쌍과 좌표

	번호	O/X
어떤 교과서에나 나오는 문제	1	
	2	
	3	
	4	
	5	
	6	
	7	
	8	
	9	
시험에 꼭 나오는 문제	1	
	2	
	3	
	4	
	5	
	6	
	7	
	8	
	9	
	10	
	11	
	12	
	13	
	14	
	15	
	16	
	17	

13 그래프

	번호	O/X
어떤 교과서에나 나오는 문제	1	
	2	
	3	
	4	
	5	
	6	
	7	
	8	
시험에 꼭 나오는 문제	1	
	2	
	3	
	4	
	5	
	6	
	7	
	8	
	9	
	10	
	11	
	12	
	13	
	14	

14 정비례 관계

	번호	O/X
어떤 교과서에나 나오는 문제	1	
	2	
	3	
	4	
	5	
	6	
	7	
	8	
시험에 꼭 나오는 문제	1	
	2	
	3	
	4	
	5	
	6	
	7	
	8	
	9	
	10	
	11	
	12	
	13	
	14	
	15	
	16	
	17	

15 반비례 관계

	번호	O/X
어떤 교과서에나 나오는 문제	1	
	2	
	3	
	4	
	5	
	6	
	7	
	8	
시험에 꼭 나오는 문제	1	
	2	
	3	
	4	
	5	
	6	
	7	
	8	
	9	
	10	
	11	
	12	
	13	
	14	
	15	
	16	